12歳から始める心が折れない技術

明治大学法学部教授
堀田秀吾

はじめに
心に元気がほしいみんなへ

みなさん、こんにちは。この本を手に取っていただき、ありがとうございます！

この本は、タイトルが「12歳からの」となっていることからおわかりになると思いますが、12歳の人だけに読んでほしいわけではありません。12歳前後の人から、たくさんの人たちに読んでもらうことを考えて書いたものです。

ですから、10歳の人でも読めるように、なるべくやさしい漢字を使っており、ふり仮《が》名《な》も多めにふっています。

10代という時期は、人生の中でもっともキラキラかがやいた、宝石箱《ほうせきばこ》のような時間です。開けるたびに新しい発見があって、時には予想もしていなかった挑戦《ちょうせん》が待ち受けています。

人生という長い旅の中で、この時期はとくに、心と体が大きく変わる重要なステージです。大人《おとな》として巣立っていく準備《じゅんび》をするための大切な時間なのです。

この期間に、大人の世界と同じ形、あるいはちがう形で、さまざまな経験《けいけん》をしていきます。楽しいこと、うれしいことはもちろん、さまざまな壁《かべ》にもぶつかります。

そういったさまざまな経験の中で、自分の軸《じく》である「心」をどうたもっていくかということが大切になってきます。


この時期に作られた「自分」が、人生の大きな柱になっていきます。

仕事や生活をはじめとした自分のこれからの人生を、どういうものにしていくかという基本的《きほんてき》な部分になってくるのです。

もちろん、ある程度《ていど》はあとでも修正《しゅうせい》できるのですが、この時期によい形にしておいたほうが「のびしろ」ができやすくなります。

時間は、まきもどすことができません。ですから、できることはできるうちにやってしまうほうがいいのです。

夏休みの宿題のように、あとになればなるほど大変になりますから……。

わたしたちの体の健康は、心の健康によってささえられています。

心の健康に関する問題は、おおまかに言うと、自分のまわりの人々や環境《かんきょう》、自分がこなさなければならない義務《ぎむ》、まわりからの期待、そして自分の感情《かんじょう》などとどう向き合っていくか、どう関わっていくか、という話です。

この本を通じて、わたしたちは一緒《いっしょ》に、喜びも悲しみも、いかりもおどろきも、すべての感情とどう向き合い、どう受け入れながら成長していくか、という方法を学んでいきます。自分自身やまわりの人たちとの関係、学校での生活、夢《ゆめ》や不安について知っていきましょう。

時には、自分を見失いそうになったり、道をふみ外しかけたりすることもあるでしょう。でも大丈夫《だいじょうぶ》、この本がみなさんの心の羅針盤《らしんばん》（方位磁石《じしゃく》）となり、一歩一歩前に進む勇気をあたえてくれます。

わたしたちはみんな、自分自身のペースで成長していきます。ほかの人とくらべる必要はありません。

みなさんが心の問題と戦うのに必要なのは、ほんのひとかけらの勇気です。この本を

手に取ったみなさんは、もうすでに自分の心と向き合う勇気を持っています。それだけですばらしいのです。

この本には、みなさんがこれから経験するかもしれないストレスや不安、そしてそれらにどう対処《たいしょ》するかについてのヒントがつまっています。

しかも、そういったヒントは、世界中の心理学、脳科学《のうかがく》、言語学などの研究者たちの研究成果にもとづいた、信頼度抜群《しんらいどばつぐん》のものです。

この本では、人間がするさまざまな行動や心の動きについての「なぜ？」を明らかにします。

そういったものを知ることによって、できるだけ無理しないで、心に大きな負担《ふたん》をあたえることなく、問題と向き合えるようになるのです。

一歩ふみ出すその勇気が、未来のみなさんを形作るのです。この本がみなさんにとって、心の旅のたのもしい友となれば、これ以上の喜びはありません。

《保護者のみなさまへ》

保護者という立場から、この本をお読みになる方もいらっしゃると思います。

この本は、12歳前後からのティーンエイジャーの子どもたちが、心の健康を育むためのサポートをするために書いたものです。

みなさまのお子さんたちが成長する中で、家庭や学校などのさまざまな場で直面する悩みや課題について、そういった問題とどう向き合っていくべきかを、世界中の心理学・脳科学・言語学の研究者たちによっておこなわれた研究をもとにした解決策を提示していくことを目的としています。

とくに、行動や心の仕組みという観点から、どうやって問題をとらえていくべきか、対処していくべきかを考えていきます。

筆者は、法の世界における人間の心や行動について、言語学・心理学・脳科学の分析手法を用いて解明してきた大学の研究者です。

そういった研究をしていく中で得た知見を応用して、メンタルヘルスやウェルビーイングなどについても40冊を超える書籍を著してきています。


現代社会では、メンタル面での健康は、人間が人間らしく生活していくためにもっとも重要なことの一つです。本書の内容は、お子さんたちだけでなく、保護者の方々も一緒に実践していける内容が多いです。

ですので、ぜひ、ご自身でも実践していただきたいです。親も、子どもと一緒に成長していくものです。子どもたちとのコミュニケーションを大切にし、彼らの感情や考え方に理解を示してあげてください。寄り添ってあげてください。

一緒に成長するお子さんたちを支えることができる保護者の存在はとても大切です。

この本を通じて、親子で心の健康について考えるきっかけになれば幸いです。

第1章 親・友だち・先生……みんなとどう向き合えばいい？

第2章 ストレスや不安の対処法を教えます

第3章「自分はこんなはずじゃない」をかなえる

第4章 感情にふり回されず、変化を楽しめる人になろう

第5章 何事にも折れない心はこうして育てる

第1章

親・友だち・先生……
みんなとどう向き合えばいい？

「親からはなれたい」「親にあまえたい」はふつうのこと

人間には、だれにでも「自由欲求《よっきゅう》」という本能的《ほんのうてき》な気持ちがあります。できるだけ自由でいたいという気持ちです。

そのため、親という、もっとも身近で、自分の行動をコントロールしてこようとする存在《そんざい》との関わりは、きゅうくつで、めんどうくさいと感じ、そこから解放《かいほう》されたいと思うのは仕方がありません。

ですから「親からはなれたい」と思うわけです。

一方で、親にあまえるのも本能です。

人間は、動物界の中でも、もっとも未熟《みじゅく》な状態《じょうたい》で生まれてくる生き物の一つです。

たしかに、鳥でも馬でも犬でも、多くの動物は生まれてすぐに一人で動き出せます。

しかし、人間の赤ちゃんは数か月たたないと、まともに動くことさえできません。人間はとりわけ、親にたよらないと生きていけないのです。

ですから、人間は「親にたよろう」とする性質《せいしつ》が、生まれながらにしてそなわっていると考えられます。

これら二つの、一見、真逆《まぎゃく》に思える感情《かんじょう》も、人間として当然、感じるものなのです。

ただ、大人《おとな》に近づくにつれ、自由でいたい気持ちは強くなる一方、親にあまえたくなる感情は弱くなっていきます。

成長するにつれ、なんでも自分一人でできるようになってくるからです。

ごはんの用意、洗濯《せんたく》、掃除《そうじ》などの家事も、いろいろな大切な決断《けつだん》も自分だけでできるようになってきます。

そうした中で、自分だけの世界観もできてきますし、自分の価値観《かちかん》の中だけで大切なものもできてきます。

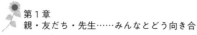

親をふくめた他人と関わらなければ、その世界観や価値観に意見を言われたり、望んでいることを邪魔《じゃま》されたりすることもないし、はなれているほうが楽だという気持ちも生まれてきます。

親や他人との関わりは、基本的《きほんてき》にこういった部分で、必ず他人に合わせたり、あきらめたりしなければいけないので、めんどうに感じるわけです。

では、どうしたらいいのでしょうか？

人間は、自分の望む形と、現実《げんじつ》の形がズレているときにストレスを感じます（専門的《せんもんてき》には「認知的不協和《にんちてきふきょうわ》」と言います）。

しかし、残念ながら、自分で現実を変えるのは非常《ひじょう》にむずかしいので「現実をどう受け止めるか」「現実に起こっていることを、どういう意味でとらえるか」という部分で、このズレを解消《かいしょう》しようとするのです。

そこで役に立つのが「そんなもんだ」というマジックワードです。

自分の感情も、理想も、現実も、ありのまま受け入れるということです。

「今、自分はこんな気持ちになっているけど、まあ、そんなもんだよな」
「親がああ言っているけど、まあ、そんなもんだよな」

このように、自分を俯瞰《ふかん》（自分以外の人から見た目線でものを考えること）してみるのです。

そうすると、不思議と気持ちが軽くなっていきませんか？

なんとなく、イライラ・モヤモヤが消えていきませんか？

脳科学《のうかがく》でも、感情をコントロールする方法として、こういった「他人事《ひとごと》のようにとらえる」ことが有効《ゆうこう》だということが、たくさんの研究でしめされています。

「そんなもんだ」のマジックワードで、自分のことでも他人事のようにとらえよう

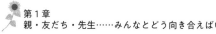

「親ばなれ」の第一歩にはいい時期だ

親と言っても十人《じゅうにん》十色《といろ》、人それぞれです。

モンスターペアレントや「毒親《どくおや》」という迷惑《めいわく》な親もいれば、天使か仙人《せんにん》のように、おだやかで理解《りかい》のある親までいろいろといます。

でも、なんだかんだ言って、だれよりもみなさんと特別な関係にあるのが親です。

親は、みなさんの人生で、もっとも身近で親身になってくれて、もっとも長い期間たずさわる指導者《しどうしゃ》であり、最後まで味方でいてくれる存在でもあります。

ですから、何かとたよってしまい、あまえたくなるのも自然なことです。

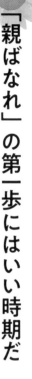

しかし、いつかは自分一人で生きていけるようになるために、親ばなれしなくてはいけません。

それが自然の摂理《せつり》（自然界の決まりごと）であり、地球上に生きる生物として当然の成り行きだからです。


心も体も発達し、ほぼ自分の思い通りに動かせるようになってくる中学生くらいになると、たいていの人は、親の助けを借りずになんでもできるようになってきますし、親からはなれて、いろいろなことを自分だけでするようになってきます。

その意味で、**12歳というのは、ちょうど親ばなれが始まる時期でもある**のでしょう。

昔の武士《ぶし》の家では、これくらいの年齢《ねんれい》になると「元服《げんぷく》」といって、大人になったとみなされる儀式《ぎしき》をおこなっていたくらいです。


現代の日本でも法律上《ほうりつじょう》、14歳から「刑事責任能力《けいじせきにんのうりょく》」がみとめられるようになります。

刑事責任能力というのは、自分のした行為《こうい》が法律に反しているかいないかがわかる力、違法《いほう》であるとわかっている場合には、自分の意思でその行為を思いとどまることができる力のことを言います。

つまり、自分でよいことと悪いことを判断《はんだん》して行動をしたり、おさえたりできるようになっていると考えられるわけです。

そのように、心も体も大人になってくる12歳。

でも、部分的に、あるいはいろいろな面で、親ばなれできない人も当然います。無理に親ばなれしなくてもいい場合もありますが、できれば親ばなれしたいと思うのも当然です。

自分の性格《せいかく》、親の性格、状況《じょうきょう》や環境《かんきょう》によって、時期がちがうのは当然です。

「こうでなければいけない。でも現実はそうならない」というギャップがあると、人間の心は大きな負担《ふたん》を感じます。

ですから、親ばなれしていくことは意識《いしき》しつつ、心に負担がかからないように、自分のペースで少しずつ、自分で自分の行動を決めたり、考えたりしていってください。親の助けがなくても、自分でいろいろなことができていくことがベストです。

また、全面的に親ばなれしなくてもいいのです。

たとえば「朝は自分で起きる」「宿題は言われる前にやる」「お弁当《べんとう》は自分で作る」「洗濯物は自分でする」など、まずはできるところから始めていけばいいでしょう。

親ばなれするにはちょうどいい時期。自分でできることから始めてみて

友だちづき合いは「変わっていくもの」

「ずっとあの子と友だちでいたい」

おたがいに気持ちよくすごせる人と、ずっと一緒《いっしょ》にいたいと思うのは当然のことです。新しく出会った友だちと仲よくなって、信頼《しんらい》をきずいていくのは、とても時間と努力が必要で、めんどうくさいことです。

すでにできあがっている関係でしたら、それがあることが当然という意識になっていきますから、失うことは、つらいことにもなります。

とはいえ、**友だちづき合いというのは、つねに変わっていくもの**です。

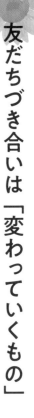

引越《ひっこ》しや進学、参加しているチームや団体《だんたい》など、自分の置かれている環境でどんどん変わっていきます。

たとえば、同じ環境にあっても、そのときどきの価値観や好みや興味《きょうみ》などの変化で、つき合う友だちはどんどん変わっていきます。

友だちというのは、人生のステージでコロコロ変わっていくものです。

もちろん、おさないころからずっとつき合っていく友だちもいますが、人生のそのときどきでいろいろな人に出会い、いろいろなつき合いをしていきます。

今まで仲よかった友だちが、自分以外の子と、自分との関係以上に仲よくなっていくことも当然あります。そんな友だちの姿《すがた》を見て、さびしくなったり、悲しくなったりすることもあるでしょう。

そういった喪失感《そうしつかん》（なくなるさびしさ）を覚えるのは仕方のないことです。もし、人が喪失感を覚えなくなったら、人間関係やモノを大切にしなくなります。

人間のような生き物にとって、喪失感を覚えることは、生きるために非常に大事な仕組みなのです。

大切なのは、友だちとうまくいかなくなっても、「まあ、そういうものだよな」と軽く受け流すことです。

理想を追ってはいけません。

ピンチはチャンスです。

自分も、今の関係にこだわったりせず、どんどん新しい友だちを作っていけばいいのです。その仲よしだった友人より仲よくできる友人に出会えるかもしれません。

未来の可能性《かのうせい》は無限《むげん》です。どんな未来になるのか、自分で予測《よそく》することなんてできません。

そして、自分でいくらでも広げることもできます。

もちろん、そうしていく中で、傷《きず》つくこともあるかもしれません。でも、筋肉《きんにく》もわざと無理をして動かすことで発達していきます。

人間も同じです。「若いうちの苦労は金をはらってでもしろ」などということばがありますが、**人は苦労をした分だけ強く、やさしくなれる**のです。

人生でいろいろな経験《けいけん》をした人のほうが、幸福度が高くなるということも研究でしめされています。

また、人間は、相手がだれかによって、性格がコロコロ変わっていきます。親の前、先生の前、好きな友人の前、きらいな友人の前で、それぞれちがう自分があらわれていませんか？

人間の性格は、「自分×〇〇」のかけ算だと言われます。そのときの相手、状況、感情によって、性格はコロコロ変わっていくのです。

相手にきらわれたくなくて気を使いすぎて、つかれちゃったりすることもあるでしょう。逆に、とくに意識せず、本来の自分らしくいられる相手もいると思います。

いろいろな友だちと関わって、いろいろな自分を見つけてみてください。

今の友だち関係にこだわらなくていい。いろいろな人とつき合っていこう

友だちの多い・少ないより、自分らしくつき合えるか

友だちは多いほうがいいのでしょうか?
それとも、少ないほうがいいのでしょうか?

一見、「そりゃ多いほうがいいでしょ!」と思ったかもしれませんが、じつはつねに意見が分かれる議論《ぎろん》です。

この問題は、結局、その人の性格や行動、あるいは生活スタイルによって、どちらがいいかは変わるのです。

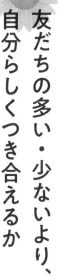

友だちの数に関する研究はたくさんあるのですが、社交的な人は友だちが多く、助けも借りやすいので、目標を実現《じつげん》しやすいということがわかっています。

人が、一人でできることには限界《げんかい》があります。しかし、自分ができることを、他人ができることとかけ合わせることによって、無限に広がるのです。

その意味では、友だちが多いほうが、いろいろなことを成しとげやすいというのは、まちがいないでしょう。

また、世界大学ランキングで1位になったこともあるイギリスの名門、オックスフォード大学の研究では、こんな面白いものがあります。

友人の数が多い人ほど、空気椅子《いす》（ひざを折ったスクワットのまま中腰ですわること）の苦痛《くつう》にたえられると言うのです。

もちろん、友だちが多いことで苦労することもあります。

それぞれの関係についやす時間やエネルギーがふえ、ストレスやプレッシャーを感じたり、絆《きずな》を深めたりする余裕《よゆう》がへるということが考えられます。

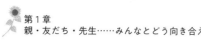

水替え ありがとう
そっちこそ 掲示物多くて 大変だね

逆に言えば、友だちの数をしぼることで、自分の時間を確保《かくほ》しやすくなるので、好きなことに没頭《ぼっとう》することができますし、人間関係のストレスにわずらわされたりするリスクがへるということです。

数が少ないからこそ、その友だちのことを、より大切にできるというメリットもあるでしょう。

また、近い関係よりも、一定の距離感《きょりかん》があるほうが気持ちよく感じるという人もいます。ですから、単純《たんじゅん》に「友だちは多いほうがいい」とは言い切れないのです。

大人になっても、たまに友だちの数を自《じ》慢《まん》している人がいますが、数よりも「自分

がどう友だちとつき合えているか」という質《しつ》のほうがよほど大切なのです。

おたがいの秘密《ひみつ》を守り、こまったときはささえ合う。おたがいの成功を喜び、失敗したときにははげまし合う……。

時には、表面的な話だけではなく、将来《しょうらい》の夢《ゆめ》や自分の気持ちなど、深い話題についてオープンに話し合えたり、力を合わせて新しいことにチャレンジしたりと、おたがいに成長し合える関係ならば理想的です。しかし、理想はあくまで理想です。

「こうでなければいけない」という理想を追いすぎていると、現実が追いつかないときに、人間の心はとてもこわれやすくなってしまいます。

友だち関係においては「こうでなければいけない」という考えはすてて、自分に合ったスタイル、つき合い方をしていけばいいのです。

友だちの数にこだわらない。大事なのは自分らしくつき合えるかどうか

人のいいところを見つけて、悪いところは見つけない

人間は、自分にあまく、他人にきびしい生き物です。

また「ネガティビティ・バイアス」と言って、悪い情報《じょうほう》に目が行きがちでもあります。

ネガティビティ・バイアスは、人が生きていくためにとても大切な心理です。悪い情報に注目することで、危険《きけん》に対処《たいしょ》しやすくなりますし、自分の命や子孫を守りやすくなるからです。本能のような心の働きと言えます。

ですから、わざわざ「○○の悪いところを見つけてやる」と思わなくても、勝手に見つけてしまいますし、そのように他人の悪いところばかり目につくのは、仕方のないこ

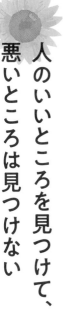

となのです。

しかし、ネガティブなことばかり考えるのは、あまりよいことではありません。

他人の悪いところを考えて、いい気持ちになることはありませんよね？

さらに、脳《のう》科《か》学《がく》の世界では「脳は主語を区別しない」と言われています。

つまり「〇〇はムカつくヤツだ」と言ったとします。たとえ、その「〇〇」が、友だちの名前だったとしても、自分の名前がそこにあった場合と同じように、自分自身が傷つくということなのです。

ですから、**できるだけ他人のいいところを見つけようとしたほうが、おだやかでやさしい気持ちになれるし、ずっと心の健康のためにはいい**のです。

また、他人の悪いところばかり話す友だちより、他人のいいところをできるだけ見つけて話す友だちのほうが、自分も仲よくしたいと思いませんか？

他人の悪口ばかり言い合う友人関係では、きっと面白くないでしょう。

しかも、他人のことを悪く言っていれば、自分のことも悪く言われる覚悟《かくご》をしなければいけません。

自分が言うのはよくて、他人が言うのはダメだ、とはなりませんよね。

もちろん、自分が成長するためには、自分では気づかない悪いところを見つけてもらって、そこを直していくということもあるでしょう。

でも、だからといって、他人から自分の悪いところを言われるのは、ふつうはイヤな気分になるものです。

とは言え、もともと何でもネガティブに物事を考えがちな人もいます。

そういう人に「ポジティブに物事をとらえよう」と言っても、余計《よけい》にネガティブになってしまうということも知られています。

これを「バックファイアー効果」と言います。

ですので、**無理にポジティブにとらえなくてもいいので、単に悪いところを見つけるのをやめるだけでもいい**でしょう。

たとえ、友だちの悪いところが目に入ってしまっても「人間なんてそんなもんだよな」と受け流すのです。

また、友だちが別の友だちの悪口を言っていても、そんな話題には乗っからないようにしましょう。

そうやって、ネガティブに考えるきっかけをへらしていけば、いつでもおだやかな気持ちをたもつことができます。

ネガティブに考えるきっかけをへらそう。
わざわざ悪いところを見つけにいかない

図に乗っちゃダメ。いたい目あうよ？

日本は、とても不思議な文化の国です。

あいさつのとき「最近はいろいろ大変だ」「○○がいたい」「こんな病気を最近した」などと、あえて自分にとって悪い話をするのです。

英語のあいさつでは、まったく逆です。別にふつうなのに「すごく調子いいよ！」などと大げさに言ったりします。

これは日本が、よく言えば「へりくだる」「謙遜《けんそん》」の文化だからです。

自慢など自分を大きく見せたりはせずに、あえて自分をよく見せないようにすることが好まれる文化ということです。

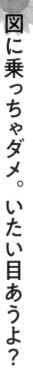

ではなぜ、日本はこのような文化になっているのでしょうか？

とある調査によると、**世界の中でも日本人は、もっとも嫉妬心《しっとしん》が強い人たち**だそうです。ですから、ねたまれないように、あいさつのときも「自分は大変だ」ということを言おうとするわけです。

そんな文化ですから、当然、うれしそうな人、楽しそうな人、絶好調《ぜっこうちょう》な人を見るとイラっとしたり、モヤっとしたりする人がいるわけです。

これはもう、完全なやっかみですよね。本人に悪いところがあるかないかは関係ありません。だからこそ、そういったねたみの対象《たいしょう》となって、イヤな態度《たいど》を取られる人は「自分の何が悪いのだろう？」と思い悩《なや》むわけです。

また、ちょっと目立つだけでも悪く言われます。

昔から「出る杭《くい》は打たれる」などと言いますが、人より秀《ひい》でるだけでたたかれてしまうのです。

つまり、よくも悪くも目立たないことが無難《ぶなん》な文化なのです。

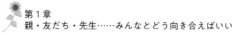

他人とちがう部分があれば、それは「個性《こせい》」とはとらえてもらえません。むしろ「変」ととらえられて、場合によっては攻撃《こうげき》の対象となってしまう文化なのです。

そもそも調子に乗っているわけでも、自慢しているわけでもないのに、やっかまれる（めんどうな）社会ですから、調子に乗ったり、自慢したりすればなおさらねたまれます。

なんとも残念で、やっかいな文化ではありますが、それが日本という国なのですから仕方がありません。

文化を変えることは、個人《こじん》の力ではほぼ不可能です。ですから、**自分でできることをする、つまり、自分が謙虚《けんきょ》でいることが大切**なのです。

「すごい」と言ってもらいたい！

みんなにみとめてもらいたい！

そういう、いわゆる「承認欲求《しょうにんよっきゅう》」とよばれる気持ちは、だれにもあります。

でも、それをおさえた行動を取るように努めるのも、この日本という社会でうまく生きていく大人への階段《かいだん》の一歩なのです。


世の中には、不幸な人も大変な人もいます。

ですから、うれしいことや自慢したいことがあっても、あえてそれをひかえめにして出さないということは、そういう人への配慮《はいりょ》にもなります。

ある意味、ひかえめな人は、やさしい人でもあるわけです。

「ひかえめ」「謙虚」というのも、欧米《おうべい》では自分の主張ができない人としてネガティブにとらえられがちですが、日本では「美徳《びとく》」なのだと覚えておきましょう。


日本社会では「ひかえめな人はよい人」と評価される

じつは「陰キャ」のほうがモテる

明るくて友だちも多く、ハッピーに見える「陽キャ」。

それに対して、目立たなかったり、おとなしかったり、人づき合いが不得意だったり、友だちも少なかったりする「陰《いん》キャ」。

神様（自然）は、どうしてちがう種類の人々を作り出したのでしょうか？

みんな一緒だったら、もっとたくさんの人々が仲よくなって、平和にすごせていたかもしれません。

でも、じつは人類にとっては、どちらのタイプも必要な人たちなのです。

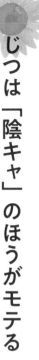

生物として、みんな同じ性質だと、その種《しゅ》の生物の生存《せいぞん》に関わる何か大きな脅威《きょうい》がおとずれたときに、いっせいに死んで、絶滅《ぜつめつ》してしまいます。

しかし、少しずつちがいがあれば、そのちがいのおかげで生き残り、絶滅の危機をのがれられる可能性が高まるわけです。

たとえば、コロナみたいに未知のウイルスに遭遇《そうぐう》したとき、陽キャの人はそれでも積極的に外に出て仕事や買い物をおこない、陰キャの人は家に閉じこもってウイルスを遮断《しゃだん》するイメージです。

両方とも、人間が生き残るためには必要な行動です。行動パターンがちがうおかげで、どちらかが生き残れて、絶滅をさけることができます。

また、そういったちがいは、進化をするための大事な要素になることもあります。多様性《たようせい》があるほど、種としては強くなるわけです。

たとえば、みんな一様に気が強くてケンカっ早かったら、みんなで殺し合って絶滅してしまいます。

しかし、その集団に臆病《おくびょう》な人がいたら話が変わります。自分はケンカしないように知恵《ちえ》をしぼり、うまく身をひそめて死なずにすめば、その種が生き残ることができるわけです。

また「陰キャ」ということばで、ひとくくりにするのも問題です。どちらかというと「陰キャ」とよばれそうな部類に入っていたとしても、じつは顔立ちが整っていたり、やさしかったり、誠実《せいじつ》だったり、話しやすかったり、さりげなくオシャレだったり、知識《ちしき》が豊富《ほうふ》だったり、笑顔がいやし系だったりと、人間としての魅力《みりょく》を少なからずそなえていれば、当然、好感をいだく人もいます。

「マッチング仮説《かせつ》」という心理学の理論《りろん》があります。

人は、自分の身の丈《たけ》にあった相手を選ぼうとするという理論です。そう考えると、世の中いろいろな人がいるわけで、あなたを自分とマッチする人としてさがしている人たちも必ずいるわけです。

世の中、陽キャの人のほうが相対的に少ないですし、絶対的《ぜったいてき》な陽キャという人はほぼいないと考えていいでしょう。

すでに説明したように、人間の性格は、相手、環境、感情、状況などによってコロコロ変わるものです。つまり、**陽キャの面が多くあらわれる人と、陰キャの面が多くあらわれる人、その両方がいるというだけの話です。**

とにかく重要なのは、陽キャ・陰キャという区別ではなく、人間としての誠実《せいじつ》さ、やさしさ、そして清潔感《せいけつかん》です。**おさえるところはおさえておけば、必ず見てくれている人はいるはず。**大切なのはキャラ設定《せってい》ではなく、自分みがきです。

自分みがきをがんばると、自己肯定感《じここうていかん》（自分自身を好きになること、自分のことを大切に思う気持ち、自分をみとめてあげる気持ち）が上がるという研究もあります。

陰キャな自分が好きになれないという人は、まずはそういったところから始めてみてはいかがでしょうか。

陽キャ・陰キャの区別にこだわらず、がんばって自分をみがこう

なぜ「不良」や「ツンデレ」が気になってしまうのか？

人間は、少しちがうものに注目しようとします。これは動物として、命を守るための本能です。

すべてがいつも通りだったら安全なのですが、そんなことはありませんよね。

たとえば、天気だけ考えてみても、晴れの日もあれば雨の日もあり、それどころか台風が来る日や大雪がふる日だってあります。何かいつもとちがうもの、ふつうとちがうものがあったら、自分にとって危険をおよぼすものかもしれません。

ですから、まわりに注目しておく必要があります。自分の命を守り、種族を守るために必要な本能なのです。

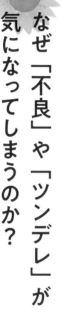

不良は、ある意味、ふつうとちがいます。

ゆえに、目立ちます。ですから、まず注目されやすいわけです。

そして「単純接触効果《たんじゅんせっしょくこうか》」といって、目にする回数が多いほど好意をいだきやすいという心理効果があります。


また、動物として、とくに女性は強い男性の遺伝子《いでんし》を子孫に残したいので、強い男性にひかれやすいと言われています。不良というのは、強気な人が多いし、腕力《わんりょく》などでもほかの人にまさっていることが多いでしょう。

また、不良とは、ふつうは「悪いとされていること」や「やってはいけないはずのこと」を、あえてやったりします。やってはいけないことをすることは、とても勇気のいることです。

大人たちの決めたルールに抵抗《ていこう》することで、大人たちと対等に戦っているという強さを見せつけようとしていることもあるでしょう。

そういったことができる不良は、強い生物だという印象をいだかせやすいでしょう。だから、ひかれやすいのです。

さらには「ゲインロス効果」という心理効果が働くこともあります。

ゲインロス効果というのは、好意的にせっする場合と非好意的にせっする場合のパターンによって、相手の印象が変わるという理論です。

ここでは、あえてわかりやすく、好意的にせっする場合を「デレ」とよんで、非好意的に接する場合を「ツン」とよぶとします。


実験の結果、ずっとツンツンしている場合と、ずっとデレデレしている場合では、当然ずっとデレのほうが相手からの評価はいいです。

しかし、ずっとデレだった人が、最後にツンとなる「デレツン」は、相手からの評価がいちばん悪いのです。それなら、ツンツンのほうがマシ。

一方、ずっとツンな人が、最後にデレとなると、相手からの評価がいちばん高くなるということが実験でわかりました。

つまり「ツンデレ」が最強だということです。

マンガやアニメのラブコメなどでも、主人公の女の子が、冷たい不良っぽい男子のふとやさしいところやかわいらしいところを見て、キュンとするというのが王道です。**不良は、ふだんの行動が悪い印象のことが多いだけに、ちょっといいところが見られると、ゲインロス効果でキラキラして見えてしまうのです。**

そもそも、不良自身も「単に目立ちたいから不良になった」という人も少なからずいます。あるいは、あえてルールに抵抗することで、自分の心を強くしているなんていう場合もあるかもしれません。

とは言え、そういう不良たちも、大人になるにしたがって、ほとんどの人は牙《きば》をぬかれ、ふつうになっていきます。ルールにしたがって、ふつうであること、ふつうに生きることが、結局いちばんよいということを学んでいくのでしょうね。

不良やツンデレが気になるのは仕方ない。いずれにしろ、彼らもふつうになっていく

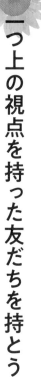

一つ上の視点を持った友だちを持とう

人間は、一人で物事を考えると、たまにつっ走《ぱし》ってしまうことがあります。感情が暴走《ぼうそう》してしまうのです。

感情をコントロールする方法として、心理学や脳科学で注目されているのが「とらえ直し」という方法です。

これは、一つの見方ではなく、別の見方をするという方法です。冷静に別の視点を考えてみることが大切だということです。

感情がつっ走ると、人間が現在《げんざい》のような高い知能《ちのう》を持つ動物に進化する前の時代から存在《そんざい》する「古い脳」が強く働き出します。この部分は、脳の奥深くにあり、大きく感情に関わるものです。

しかし、その際《さい》に、いったん別の角度から物事をとらえ直そうとすると、より高等生物として進化するにしたがって発達してきた人間の人間らしい脳の部分、つまり「論理《ろんり》的《てき》に考えたりする脳」が働き出します。

すると、感情に関わる古い脳に使われていたエネルギーが新しい脳にうばわれるので、感情が落ち着いていきます。

脳には、今やっている行動をもっとも効率的にできるように、その行動に関わる部分のエリアを集中的に働かせようとする仕組みがあります。

ですから、このとらえ直しは、集中して働いている脳のエリアを強制的に変えるという、脳がもともと持っている性質をうまく利用した対処法なのです。

人間は、一人でモヤモヤ・イライラしていると、どんどん深みはまっていってしまいます。

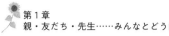

しかし、鳥が空から地上を見渡すように、いろいろな状況を客観的に見て、別の視点（19ページでお話しした「俯瞰」ですね）をあたえてくれる友だちがいれば、あなたが物事のとらえ直しをするお手伝いをしてくれます。

自分の感情に共感し、よりそってくれる友だちは、安心感をあたえてくれる大切な存在です。

それと同時に、一見冷たく見えても、ちゃんと別の視点をあたえてくれる友だちがいることはとても大切です。

同じ一つの事実でも、その見方や解釈は無限です。人によって、いろいろな見方や解釈が存在します。

自分だけで考えていると見えてこない事実の側面も、ほかの人の目には見えていたりします。自分の見方、見え方にこだわらないことが大切です。

学問の世界も、いろいろな学説や意見を戦わせて、勝ち残ったものが受け入れられていきます。

しかし、勝ち残った学説や意見が、必ずしも「真理《しんり》」だとはかぎりません。時代とともにうつり変わっていくのです。

同じように、そのときは絶対にちがうと思った意見も、あとになってみたら、じつはすばらしい意見だったなんていうことは日常茶飯事です。

いろいろな意見を受け入れて、いろいろな見方ができるようになることこそが、大人になってから求められる能力《のうりょく》です。

脳が柔軟《じゅうなん》な若いうちから、そういう訓練をしていくことが大切です。そのためにも、まずは一つ上の視点を持った友だちを持つようにしてみましょう。

「とらえ直し」で感情をコントロールできる。一つ上の視点をあたえてくれる友だちは大切

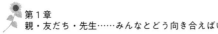

だれもが「先生（親）はわかってくれない」と感じる経験がある

「先生は、どうしてわかってくれないんだろう？」
「なんでうちの親は、ああいう考え方しかできないんだろう？」

そんな気持ちになったことは、きっとだれでも一度はあるでしょう。

若いときは、自分が正しいのだと思いがちです。まわりの大人は頭がかたいとか、わからず屋に見えて仕方がないこともあるかもしれません。

しかし、それは人生経験の差がもたらす「かんちがい」です。こういった気持ちは、じつは古代から、世代をこえてくり返されてきている誤解《ごかい》なのです。

どの時代の人も、同じように考えていたことが明らかになっています。

ほかの人の意見、世の中の仕組み、むずかしい人間関係など、さまざまな知識や経験が大人にくらべて、とてつもなく少ないのが子どもです。

もちろん、子どもの言うことのほうが大人の言うことより正しい、ということもあるでしょう。

しかし、問題はそこではありません。

まず「○○はわかってくれない」というのは、当たり前のことです。他人に理解を求めることが、そもそもまちがっていると言えます。

とくに、先生にそういう期待をしてしまうのは「先生は公正な存在。自分は正しいことを言っているはず（しているはず）。だから、先生はわかってくれるはず」と考えてしまうからです。

いえいえ、先生だってふつうの人間です。まわりのほかの大人と何も変わりません。まちがいもするし、かんちがいもします。

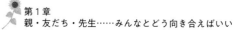

親だってそうです。

世界一、自分によりそってくれるはずの親が、自分の意見を理解してくれないと「え？　わたしの味方だったんじゃないの？」と悲しくなってしまいます。

しかし、親だって、やはり自分とは別の個人であり、独自《どくじ》のものの見方と考え方を持った生き物なのです。

ですから、つねに自分に同調してくれるとはかぎりません。意見がぶつかって当たり前のことなのです。

だからこそ、仮に理解してもらえないことがあっても「そんなもんだよな」と受け止めることが、自分の心に負担をあたえないために重要なのです。

『論語《ろんご》』という昔の中国の有名な書に「人の己《おのれ》を知らざるを患《うれ》えず、人を知らざるを患うるなり」ということばがあります。

この意味は「人が自分のことを正しく理解してくれないことを、思い悩んでも仕方ない。それよりも、自分が人を正しく理解していないことを心配するべきだ」ということです。

こういう考え方ができるようになると、人間は大きく成長します。他人、そして他人の意見を尊重《そんちょう》できるようになるのです。

科学の発展《はってん》と一緒で、いろいろな意見があるから、いい意見も生まれやすくなります。

先生や親の意見が自分の意見とちがっても、いったん冷静になって、相手の立場や気持ちになって考え直してみてください。

そうすることで、前に説明した脳の仕組みによって、自分の感情をおさえることもできるようになります。

冷静にいろんな意見を、たとえ自分とはちがった意見でも聞けるようになるのに、12歳はちょうどいい年齢です。さっそく始めていきましょう。

先生も親も、いつも同じ意見とはかぎらない。12歳からは、自分とはちがった意見でも聞き入れていこう

第2章

ストレスや不安の対処法を教えます

何でもいい。「集中できるもの」をさがそう

「アメリカでいちばん優秀《ゆうしゅう》な大学」とのよび声も高い、ハーバード大学の研究者による調査《ちょうさ》で、とても面白いことがわかりました。

人は何かをしているとき、半分くらいの人が余計《よけい》なことを考えていて、余計なことを考えている人ほど、幸福度が低いということが明らかになったのです。

逆《ぎゃく》に言うと、**人は集中しているときは余計なことを考えないから、不安や悩《なや》みからも解放《かいほう》される**のです。

たしかに「一心不乱《いっしんふらん》」「無我夢中《むがむちゅう》」などのことばがしめすように、何かに集中して取

り組んでいるときは、目の前のことしか考えませんよね？
ちょっと言いすぎかもしれませんが、不安や悩みにとらわれるのは、結局「ヒマだから」なのです。

余計なことを考える隙《すき》があるからと言えます。

たしかに、何かに一生懸命《いっしょうけんめい》に取り組んでいる人って、不安や悩みなんかなさそうで(実際《じっさい》にはいろいろな不安や悩みはあるのかもしれませんが)かがやいて見えますよね！

脳《のう》の仕組みから言っても、これは正しいことなのです。

人間の脳は、基本的《きほんてき》にシングルタスク（一つの作業）をすることに最適化《さいてきか》されるようにできています。

つまり、**今やっている作業をより効率《こうりつ》よくこなすために、その作業に必要な脳の部位が集中的に働くようになっている**のです。

ですから、集中すると余計なことを考えなくなります。

もし、作業をしながら余計なことを考えてしまうなら、それは脳がつかれているか、ちゃんと集中していない証拠《しょうこ》です。

作業に集中できるように、いろいろと工夫をしてみましょう。

集中して何かに取り組むと、それは、経験《けいけん》や結果として積み上がっていきます。そうやって積み上がったものが、のちの長い人生において大きな財産《ざいさん》になります。**なんでも全力で一生懸命に集中して取り組み、自分の財産・宝物《たからもの》をどんどんふやしていくこと。これが、若いうちでいちばん大切なことです。**

今はその価値《かち》がわからないかもしれません。

しかし、長い人生、まだ見ない未来に、今まいた小さな種が、どのような形で花開くかはだれにも予想できません。そう考えると、ムダな経験なんてないのです。

人生の成功には「こうすれば必ず成功する」という法則《ほうそく》はありません。しかし、絶対《ぜったい》になくてはならない要素《ようそ》もあります。

それは「努力」です。必ずしも勉強でなくてもかまいません。何か自分が無我夢中になれるもの、集中して取り組めるもの、そういうものをさがして一生懸命やってください。

それが、心の健康をたもつことになりますし、素敵《すてき》な未来を作り出していくための宝物にもなるのです。

何でもいいから夢中になれ。「努力」はあなたをうら切らない

人は案外「自分」のことを知らずに生きている

昔から「己《おのれ》を知れ」と言われてきましたが、これはとても大切なことです。

しかし「己」とは、自分のことですよね。自分に向かって「自分のことを知れ」なんて、考えてみれば不思議なことを言っているように思うでしょう。

なぜ、わざわざ自分を知ることが大切なのでしょうか?

じつは案外、人間は自分のことを知りません。

簡単《かんたん》にいうと「自分」というのは「車」のようなものです。あなたは、それをコントロールする運転手です。

ですから、**自分という車が、どういう性能《せいのう》や性質《せいしつ》を持った車かを知ることで、運転手としてよりうまく運転し、より安全に、効率的に、目的地にたどりつくことができるようになるのです。**

自分がどういうタイプの人間なのか（車の性質にあたります）をよく知っていれば、たとえば、何か感情的《かんじょうてき》になってしまいそうな出来事が起こっても、冷静に対処《たいしょ》する方法をすぐに見つけられます。

「自分はどういう人たちとつき合えばいいのか」や「どういう環境《かんきょう》に身を置けばいいのか」などといったことが判断《はんだん》できるようになるので、より快適《かいてき》にすごせるようになるでしょう。

さらに、自分の能力《のうりょく》（車の性能にあたります）をよく知っていれば、何ができて何ができないかがわかるようになります。

何か作業や仕事をする際《さい》には、自分に合ったものを選べるでしょうし、今後、能力を高めていくために何が必要なのかもわかります。

世界トップレベルのアスリートを、数多くメンタルコーチングしている方にお聞きした話があります。

世界トップレベルのアスリートたちが、スランプにおちいったり、目標をこえられなかったりしたときには、ある共通の問題点があると言います

それは「自分軸《じぶんじく》」を見失っていること。つまり、自分が最高のパフォーマンスができていたときに、どんな心の状態《じょうたい》だったか、そして、自分が大切にしてきたものは何だったのかを思い出せないことだそうです。

世界最高の舞台《ぶたい》で勝負を競う、並《なみ》外れた強いメンタルを求められるトップアスリートたちでさえ、ついつい自分を見失ってしまうことがあるのです。

ですから、ふつうの人間であるわたしたちが、自分のことをよく知らないというのは当たり前です。だからこそ自分と向き合って、自分を知ることが大切なのです。

物事をつき進めていくうちに、いろいろとトラブルや問題が起きるときがあります。そうしたものにふり回されて、自分が自分らしくあるために大切だったものや、自分らしくふるまうために必要だったものを、つい見失ってしまいがちです。

ですから、まずは自分の長所や短所を知ることから始めましょう。それから、何が好きで何がきらいか。どういうことで喜び、どういうことで悲しむのか。どういう判断をする傾向《けいこう》があるかなど、さまざまな角度で自分を分析《ぶんせき》してみてください。

「自分の知っている自分」以外にも「他人が知っている自分」というのもあります。ですから、ぜひまわりの人にも「自分はどんな人か」ということ聞いてみましょう。

きっと「自分の知らない自分」が見えてきます。もしかしたら戸惑《とまど》ってしまうかもしれませんが、そのときこそ、自分の性能や性質を正しく知るチャンスなのです。冷静に「自分」を受け入れていきましょう。

もっと「自分」と向き合おう。よりよい未来が待っている

イヤな先生がいる人は、「これ」をやってみてね

先生も人間ですから、みなさんと同じで、いろいろな人がいます。

ですから、当然「相性」などもあります。A先生を好きな人もいれば、きらいな人もいるでしょうし、A先生側にも、好きな人やきらいな人がいて不思議ではありません。

先生は「聖職者《せいしょくしゃ》」などとよばれることもあります。

つまり、人間としての手本となること、公正であること、立派《りっぱ》にふるまうこと、正しいことしか言わないように期待されているのです。

そして、できるだけそうあろうと、先生たちもがんばっています。

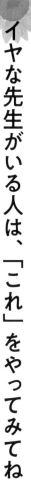

しかし、実際のところ、先生もやはり人間ですから、そうなりきれないところも多々あります。

よく「教師も、これでいいのかと悩みながら、まちがいながら、学びながら生徒と成長していくものだ」ということが言われます。

先生も、つねによりよい形を求めて努力していく、ただの人間なのです。

もちろん、納得《なっとく》がいかないことを言われてしまうこともあるかもしれません。また、偏見《へんけん》から誤解《ごかい》されてしまうこともあるかもしれません。

まちがいもするでしょう。それは、やはり先生も人間だからです。

完璧《かんぺき》な人間など存在《そんざい》しません。時には、みなさんのほうが大人な考え方ができることもあるでしょう。

そんなときは「このことに関しては、先生より自分たちのほうが大人なのだから、とりあえず理解《りかい》してあげよう」という気持ちで、大きな心でせっしてみるのはいかがでしょうか？

また、先生という職業《しょくぎょう》は、じつは教師という立場ならではのさまざまなルールや制《せい》約《やく》があります。

ふつうの人よりも、できることがかぎられているのです。

その中で、時には心を鬼《おに》にして、悪役を演じることもあります。

でも、つねにどうやったら、みなさんのよりよい未来につながるかを考えてくれています。

それが、先生たちのいちばん大切な仕事だからです。

みなさんの期待通りに先生が動いてくれず、不満がたまることもあるでしょう。

でも、そういう先生の立場も考えると、先生の言動にも納得できて、ゆるせるかもしれません。

先生にもいろいろな人がいます。

その多様性《たようせい》こそ、社会において大切なことです。

当然、好きな先生も気に食わない先生もいるでしょう。

でも「先生にだっていろいろなタイプの人がいるし、そんなもんだよな」と受け流して「どうしてあの先生は、あんなにイヤな性格《せいかく》なんだろう?」と、性格や心理について冷静に分析でもしてみてください。自分にとって相性の悪いタイプが見つかる一方で、相性のいいタイプの先生が見つかるでしょう。

将来《しょうらい》、大学に行けば、自分で先生を選ぶことができます。この分析が役に立つかもしれません。

くり返しになりますが、人間には、論理的《ろんりてき》に考えようとすると感情をおさえられるという脳の働きがあります。

その仕組みを利用すれば、わいてきたいかりや悲しみの感情もおさまるでしょう。

イヤだなと思う先生がいても受け流して、その理由を分析してみよう。将来それが役立つ

体や心の問題を「運動」が解決してくれる

運動は、人間にとって、もっとも大切な行動の一つです。

これには、大きな理由があります。

じつは、人間は数万年前の石器時代から、心も体もほとんど進化していません。石器時代、人間は獲物《えもの》を追って野山を走り回るなど、食べ物を求めて体をよく動かす生活をしていました。

ですから、急に運動しなくなった現代《げんだい》の生活は、人間にはあまり適していないのです。そのため、体や心に、いろいろな問題が生じるようになりました。

人類の進化は本来、とてもゆっくりしたものです。

「新人」とよばれる今の人類となって、まだ20万年くらいしかたっていませんが、その前、たとえば、アウストラロピテクスとよばれる種《しゅ》などは200万年ものあいだ、ほとんど進化しなかったそうです。

その一方で、今の人類の文明が発達したのは、ここ数千年のことです。しかも、急《きゅう》激《げき》に発達したのは、つい最近、ほんの100年～200年くらいの話です。

つまり、長い人類の歴史から見たら、現代の文明の発達など瞬間的《しゅんかんてき》な出来事にすぎないのですから、進化が追いつけるわけがありません。

世界には、いまだに石器時代と変わらない生活を続けている種族もいますし、わたしたちの住む日本でさえ、平安時代（8世紀～12世紀末）くらいまで、少し未開の場所に行けば、石器時代さながらの生活をしている人たちがいたという話もあります。

そもそも人間の脳も、二足歩行や指の動きの発達など、体の機能の高度な発達に合わせて発達・進化してきました。

ですから、人間は頭ではなく、体が基本です。
それゆえに、体を動かすこと、つまり運動をすることが、脳の健全な働きをたもつためにも重要なのです。

実際、多くの実験で、運動をしてからのほうが集中力や注意力、さらにやる気も高まり、学力向上にも効果的《こうかてき》だということがわかっています。

なぜかというと、脳は、糖分《とうぶん》と酸素《さんそ》を燃料《ねんりょう》として働きます。酸素は、運動することで血液《けつえき》を通し、脳に運ばれます。

運動をすると、心臓《しんぞう》がドキドキ・バクバクしますが、これは心臓をフル稼働《かどう》させることで、血液を体中にどんどん送って、運動にもっとも適した状態にしようとするからです。

運動して血液の流れがよくなると、血液に乗った酸素もどんどん脳に運ばれます。また、糖分は食事を通して脳に運ばれます。

ですから、適切な時間に適切な運動と食事をすることは大切です。

それに加え、心の健康にも大切な成長ホルモンは1日に1回、睡眠《すいみん》時間という決まった時間に分泌《ぶんぴつ》されます。

体育の時間、週に何度か運動はするかもしれませんが、できれば毎日、早寝早起きして、十分に質のいい睡眠を取り、朝起きたら、朝ごはんの前に少しジョギングなど運動をしてみましょう。

よければ、パパやママをさそって、いっしょに運動してみましょう。家族でコミュニケーションが取れて、いつまでも元気でいてほしいパパやママも健康的にいられますから、一石二鳥《いっせきにちょう》どころか何鳥にもなります。

こういった習慣《しゅうかん》をつけられると、いろいろなことに意欲的《いよくてき》に取り組めて、元気に毎日をすごすことができるようになるという研究もあります。

まずは運動。さらに食事、睡眠と、よい習慣を身につけよう

本を読もう。読書がもたらす効果とは？

文部科学省が、静岡大学の研究者にたのんでおこなった調査によると、平日に1日1時間程度の読書をする生徒は、成績《せいせき》がよい傾向にあることがわかりました。

ほかにも、読書には、新しいアイデアやモノを考え出したり、作り出したりする力を高めること、さらには、ストレスを軽くしたり、集中力を高めたり、睡眠の質が向上したり、知っていることばがふえたり、文章を書く能力がのびるなどの効果もあることが、研究でわかっています。

また、他人に共感したり、損得勘定《そんとくかんじょう》なしに他人のために何かをしてあげること

（「利他《りた》行動」と言います）がふえたりすることもわかっています。

つまり、読書をすると、ストレスがへり、心がゆたかになり、学力が上がり、人にやさしくなれるということです。まさにいいことずくめですね！

では、どのような本を読むのがいいのかというと、とくに小説のようなフィクションを読むのがいいそうです。

国語の成績がよくなるのは想像できますが、数学などにも効果があります。読書をすると、論理的にものを考える力がのびるため、論理的思考と深い関係がある数学についても成績がよくなるのです。

読書は楽しいものです。楽しんで基礎《きそ》学力がのびるなんて最高ですよね。

ちなみに、近年では電子書籍《しょせき》で読書をするという人もふえていますが、紙の本を読む場合と何がちがうのでしょうか？

ノルウェー・スタヴァンゲル大学の研究者らがおこなった研究によると、紙で読んだほうが内容に入りこみやすく、理解度も高く、覚えやすいという結果が出ました。

タブレットのような電子書籍の場合、スクロールによって自分が読んでいる場所を正しく知ることがむずかしい点が、理解の邪魔《じゃま》をすると考えられています。

たしかに、紙の本のほうが、いま自分が本のどのあたり、ページのどのあたりを読んでいるかが覚えやすいですよね。

何かの情報《じょうほう》を得るために文章を読むだけなら、電子書籍でも問題ないのですが、理解については紙のほうがよいということです。

作品をじっくり楽しむためには、紙の本を読むほうがいいでしょう。

ですが、自分の家や学校ならともかく、外でちょっと時間を持てあましたときに読むなら、手軽に読める電子書籍を利用するのも悪くないでしょう。

こういった実験結果は、あくまでも「全体的な傾向」をしめすだけなので、例外も当然あります。人によっては、電子書籍のほうが効率も効果も上がるという人もいるかもしれません。自分の生活スタイルや好みに合わせて決めていくのが大切です。

いずれにしろ、読書があなたにさまざまな効果をもたらしてくれることは、まちがいありません。これからもドンドン本を読んでいきましょう。

読書は学力や対人関係、メンタルにも大きな効果がある

いじめは「いじめる側が悪い」に決まっている

いじめ。時代をこえて、形を変えて、ずっと続くこの悪行。

だれもが、いじめは悪いことだと知っています。

でも、なくなりません。

それどころか、子どもの世界だけでなく、大人の世界でも、会社やご近所づき合い、その他いろいろな場所で、つねにいじめは存在しています。

いじめは、じつは人間界だけでなく、虫や動物の世界にも存在します。生きものが生き残るための戦略《せんりゃく》としてとる手段《しゅだん》だからです。

だからといって、いじめはいいものだ、仕方がないものだ、と言っているわけではありません。

人間には、いいことと悪いことを判断し、悪いことをできるだけしないようにする「理性《りせい》」というものがあります。**ですから少なくとも、いじめをへらしていくことができる可能性は残されているのです。**

いじめについては「いじめられる側が悪い」などという、おどろくような意見が出てくることがあります。

しかし、日本をふくむ多くの先進国の社会では、理由を問わず、他人に危害《きがい》を加えることは悪いことと法律《ほうりつ》で決められています。

いじめている側でも、いじめられている側（が仕返しする場合）でも、基本的に危害を加えたら、加えたほうが、やはり悪いのです。

人間社会の重要なルールなので、当然これは守らなくてはなりません。

いじめる側がいじめをする理由としては「自分を強く見せたい」「優越感《ゆうえつかん》を味わいたい」「ストレスを発散したい」「まわりに合わせたい」などいろいろなものがあります。

アメリカのトップ大学の一つであるシカゴ大学の研究者たちが、いじめを目撃《もくげき》したときの脳の活動状態を見る実験をおこないました。その結果、人はいじめを目撃すると、喜びに関係する脳の部位と、苦痛に関係する脳の部位が活動するそうです。

そして、いじめっ子の脳では、苦痛に関係する部位が活動しておらず、逆に喜びに関係する脳の部位が、より活発に反応していることが明らかになりました。

つまり、いじめっ子は、いじめに喜びを感じているというのです。

こういう人たちは、自分の喜びのためにいじめているわけですから、相手側に悪いところがあろうがなかろうが関係ないのです。

たとえば、Aさんは、がんばって成績が学年トップになったとします。どう考えてもすばらしいことです。しかし、それをねたんだBさんが中心になって、Aさんにいやがらせをするようになる……などということが起こるわけです。

いじめは、いじめられる側にとって「理不尽《りふじん》」というべき理由で起こってしまうことが少なくありません。

理不尽というのは、常識《じょうしき》や理屈《りくつ》から考えたらおかしい理由、納得がいかない理由にもとづくことです。先ほどの例もそうです。いじめられる側が何も悪いことをしていなくても、いじめられるということが起こってしまいます。

いじめの対象《たいしょう》となってしまった人には、「自分が悪い」と自分をせめてしまう人も少なからずいます。**しかし、どんな理由があろうと、他人に危害を加える行動をしたいじめる側が悪いのです。**

ですから、たとえいじめの対象となっても、自分をせめないでください。親や先生、まわりの友だちにも相談して早めに解決《かいけつ》しましょう。今は学校以外でも、相談に乗ってくれるところがたくさんあります。身近に相談できる人がいなくても、インターネットなどでそういうところをさがしてみるのも手です。

いじめは理不尽なもの。自分が対象になったら早めに手を打とう

「オンラインいじめ」には専門家の手を借りよう

文部科学省の調査によると、じつはいじめが実際に報告された件数《けんすう》は少なくなってきています。

しかし、オンラインによるいじめの件数は、逆にふえていることがわかりました。

理由としては、ＳＮＳ交流サイトの匿名《とくめい》アカウントなどを使ったネット上のいじめは、親や先生の目がとどきにくいからです。

また、時間や場所を選ばずに、指先一本でできてしまうという簡単さや気軽さもあります。

そのため「オンラインいじめ」がふえてしまっているようです。

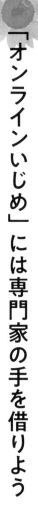

匿名の廃止《はいし》、つまりだれがやったかがわかるようになるだけでも、少しはオンラインいじめの発生をへらすことができるかもしれません。

しかし、だれが投稿《とうこう》をしたかを特定させるのは、じつはとてもむずかしいことです。警察《けいさつ》も、専門《せんもん》の部署《ぶしょ》を作って対処しようとしていますが、それでも完全にはできていません。

法律の専門家も、裁判《さいばん》などで発信者の特定をしなければいけないことが多々ありますが、彼らが情報分析のプロを使っても、なかなかうまくいかなかったりします。

こういった捜査《そうさ》・調査の専門家たちでさえもむずかしいのですから、**素人《しろうと》である教育現場の先生方やご両親、みなさんがそれをやろうとしても、現実的にはかなりむずかしい**でしょう。

また、だれかに何かの行動をやらせる、あるいはやめさせるということも、想像以上にむずかしいものです。

とくに、人数がふえてくると余計むずかしくなります。

いじめの指導《しどう》というのは、ふつうクラス全体、学校全体など大人数に対しておこなわれます。人が多くなればなるほど、人間は「自分がやらなくてもほかの人がやるからいいや」「自分には関係ないや」という心理が働きます。

これを「傍観者効果《ぼうかんしゃこうか》」とよびますが、たとえば目の前にこまっている人がいたとき、自分一人しかいないときは助けても、たくさん人がいるときはだれも助けないということが起こります。

こういった心理的な原因《げんいん》が重なって、いじめが起こってしまうことがあります。たとえば「自分はいじめているわけではない」と、都合よく「自分には当てはまらない」と考えてしまう「正常性《せいじょうせい》バイアス」という心理も働きます。

あるいは「楽観性バイアス」といって「自分だけはバレない、大丈夫《だいじょうぶ》」と、ゆがんだものの見方をしてしまう傾向もあります。

さらにネットの場合、先生や親の目がとどきにくいところでできるので、つい行動に出てしまうということもあるでしょう。

このように、もともと人間が持っている心理的な働きによっていじめが起こるわけですから、残念ながら多少の指導や注意でどうにかできるものではないのです。

もちろん、だからと言って、いじめを放置しておいていいことにはなりません。**素人でも、専門家の力を借りながらできることはあります。**

各種SNSでは、自分の投稿を見ることができる人やコメントできる人、友だち申請《しんせい》ができる人を制限《せいげん》したり、いじめの報告をしたりすることで対処する仕組みを用意しています。

それらを利用したり、親や先生の手を借りて法律やネットの専門家に相談したりして、対処法を実践《じっせん》していくようにしましょう。

「オンラインいじめ」の対策はむずかしい。早めに専門家に相談しよう

「みんな言ってるよ（やってるよ）」も気にしないで

相手を説得したり、せめたりしたいときに「みんな」と言っているのをよく見かけますよね。

たとえば、お母さんに買ってほしいものがあるときに「みんな持っているんだよ」と言って説得したり、友だちに文句《もんく》を言うときに「みんなそう言ってるよ」とせめたりしていませんか？

どちらにせよ、こういうときの「みんな」というセリフほど、信じられないことばはありません。

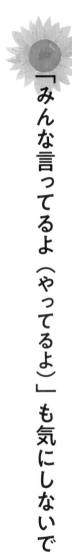

自分の言っていることや、やっていることを正当化したいときによく言う「みんな言っているよ」「みんなやっているよ」というフレーズ。**実際に、だれが言っているか、やっているのかを調べてみると、一人か二人だったりします。**多くて3、4人でしょう。なんなら「だれもいなかった」なんていうことが少なくありません。

「本当は、みんな言ってないよね（やってないよね）」とわかっていても、とりあえず相手に納得してもらうために言う場合はさておき、本当に「みんな言っている（やっている）」と思いこんでいる場合があります。

これは「確証《かくしょう》バイアス」とよばれる人間の心理的な働きです。自分に都合のいい情報だけを見て、それがまるでふつうのこと（みんなが言っていること、やっていること）のようにとらえるのです。

先ほどあげた例のように、実際にはクラスで持っている人は3人くらいしかいないのに「みんな持っている」と思いこんでしまうわけです。

ですから、だれかに「みんな」を使って説得や文句を言われても、あせる必要はありません。「自分軸」をしっかり持って対処してください。

自分軸とは、まわりの意見に流されたりせず、自分がどうしたいか、どうありたいかをしめす、自分の中心となるものです。

この自分軸がしっかりしていれば、実体のない「みんな」に合わせる必要はないでしょうし、必要があれば表面上だけ合わせればいいだけの話です。いちいち「みんなってだれ？」とツッコミを入れても、ケンカになるだけかもしれません。

「みんな」を使って説得してきたり、文句を言ってきたりする相手というのは、自分の理想を押しつけようとしているわけです。そして、本当は自分の理想なのに、それが「現実」のように言ってきます。

でも、それがあなたの考える「理想」とちがうなら、無理をしないでください。理想の形と現実に差があればあるほど、人間は心が苦しくなります。

大切なのは「自分軸」です。人間は、一人一人ちがう世界を生きています。他人の世界を片目で見つつも、もう片方の目で自分の世界をしっかり見ていきましょう。

そういうバランスの取れたものの見方ができるようになることが重要です。

他人に迷惑《めいわく》をかけないかぎりは、自分の世界を追い求めていいのです。世の中、いろいろな人がいていいし、いろいろな考え方があっていい。そういった多様性は、新しいものを生み出していく力になります。時代的にも、昔よりも自由や多様性をみとめてくれる社会になってきました。

ちがう価値観《かちかん》を否定《ひてい》するのではなく、とりあえず「そういう考え方もあるんだな」と受け入れましょう。そして、自分にその価値観を取り入れるかどうかは、自分軸の中で決めていけばいいのです。

「みんな」というのは「すべて同じ」ではありません。「いろいろ」あって「みんな」なのです。

「みんな言っている」と言われても気にしない。自分の世界をしっかり生きよう

「上から目線」を気にしない、自分もそうしない

同級生や年下の人が、まるで自分のほうが年上かのように、何かを命令する感じで言ってくるとイラっとしたり、モヤっとしたりしてきます。

いわゆる「上から目線」というやつです。

人間には、他人から「尊重《そんちょう》されたい」という欲求《よっきゅう》があります。

対等であるはずの同級生、あるいは自分よりおさないはずの年下の人が、自分より上の立場のような話し方をすると、尊重されていない気持ちになるので、イライラ・モヤモヤするのです。

上から目線になりがちな人が、そうなってしまうのにはいくつかの理由があります。

まず、本当に自分が相手より上だと考えている場合です。

次に、本当は不安だし、自信もないのですが、その気持ちをごまかすために、あえて強い態度《たいど》に出る場合です。

あるいは、もともと何にも考えていなくて、単に「そういうふうに言ってしまう性格だ」という場合もあります。

どのタイプにしても、相手からよく思われないので、自分がしてしまわないように気をつけたほうがいいでしょう。

仮に相手が上から目線でも、イライラ・モヤモヤしたりせずに「そういうタイプの人なんだ。人類の多様性の一部だから仕方ない」というぐらいの気持ちで、軽く受け流してしまいましょう。

わり切って考えたほうが、不要なケンカをしないですみます。

では、相手が年上だからといって、やたら下手に出るのがいいのかというと、そうでもありません。そうなると、相手の目からは「こびている」感じにうつってしまうことが少なくないからです。

場合によっては、何らかの下心があると思われて、相手から警戒《けいかい》されてしまうかもしれません。

また、下手に出ると、相手に変に優越感をあたえてしまい、その後ずっと、その関係が定着して、いろいろとめんどうくさいことが起きてしまうかもしれません。

人には「自分はすぐれている」と思いたい心理があります。ですから、相手が下手に出てくると、調子に乗ってしまうことが多々あるのです。

ですから、**ベストな方法は、強く出すぎず、弱く出すぎず、バランスよく相手を最大限に尊重すること**です。上からにも下からにもならず、ようはふつうにしていればいいのです。

同級生ならなおさらです。同い年なのですから、対等です。強く出る必要も、こびる必要もありません。

ちなみに、相手の立場や気持ちになって考えながらコミュニケーションを取ると、脳の中で「セロトニン」というホルモンが出やすくなります。

セロトニンは、感情のコントロールを円滑《えんかつ》にしてくれるホルモンです。そういうふうに心がけて人と会うようにすると、自分の心が自然と整うのです。

「上から目線」はもちろん「下手に出る」のも要注意。ふつうにしていれば大丈夫

競争社会ではなく、共存社会で生きていくために

日本の社会が現在の形に落ち着くまでは、くり返しくり返し「競争社会」であるということが言われてきました。

長年、受験戦争をはじめ「勝つか負けるか」という価値観で社会が動いていたのです。

競争というのは、経済を成長させていく上では大切な要素です。

会社は、競争相手に勝つために生産性（より多くのものを生み出すこと）を向上させ、コストをへらし、技術を発展《はってん》させて、効率を高めたり、値段《ねだん》を下げたりして、さまざま

な努力をします。

勉強においても、みんなが競争をすれば、負けないようにおたがいにがんばるので、全体のレベルが上がります。ですから、競争という要素は、時代をこえて人類の発展においてはとても大切なのです。


一方で、最近、注目されているのが「共存社会《きょうぞんしゃかい》」という考え方です。

これは、たくさんのことなる文化や考え方、宗教《しゅうきょう》や出身などのちがう人たちが、おたがいを理解し合って、ともに平和に生きていこうとする社会の形を指します。

「いろんな人がいて、それがいいんだよ」という考え方です。

もめごとをなくし、おたがいに助け合って、わかち合って、平和な社会を作ろうとしているわけです。そうすることで、ことなる文化がまざり合って、いろんなものが楽しめるようになるし、おたがいを理解することで、争いごとがなくなります。

そんな社会が実現できれば、みんなが幸せで、経済的《けいざいてき》にも文化的にもゆたかになり、安心して生活できるようになります。それに、一人一人も自分の夢《ゆめ》や目標を大事にできるようになります。

競争社会では「勝ち組」であることが理想とされ、勝ち組になれなかった人たちが尊重されない傾向があります。

つまり、一つの価値観の中で生きていくことになります。

一方、共存社会では、いろいろな価値観があります。競争社会のように勝ちぬくことを選ぶのも一つの価値観ですが、とくに競争には参加せず自分のいいと思う方法で生きることを選ぶのも、同じ価値のものとしてあつかわれます。

共存社会のほうが、みんな生きやすそうですよね。

価値観の押しつけ合いは、争いを生みます。勝ち負けですべてを考えるのは、差別を生みます。

最初に話したように、競争というのはとても大切です。一方で、多様性をみとめて共存するという考え方も、競争とはちがう形での発展、そして平和にくらすために同様に大切なのです。

学校や家庭も、小さな社会です。そこにどのような価値観で関わるかは、とても重要です。

競争は、さけて通れない道なので、競争の原理の部分では、おたがいに切磋琢磨《せっさたくま》（努力して高め合う）しつつも、おたがいのちがいをみとめて、思いやりながら生きていくことを、みんなが意識《いしき》できるようになることが理想です。

その**理想を実現するためには、一人一人の意識を変えていくことが重要**です。

そして、意識を変えていくのは、ことば。人や世の中は、ことばによって動いています。どんなことばを自分の中で軸にしていくのかを決めておきましょう。

「いろいろな人がいて、それでいい」

こういったことばで、まわりの人を見ていきましょう。みとめていきましょう。

まずは、あなたからそれを始めてみましょう。あなたが他人をみとめれば、相手もみとめてくれるようになるはずです。

おたがいのちがいをみとめて、思いやりながら生きていく。それが共存社会だ

第3章

「自分はこんなはずじゃない」をかなえる

家族にたよりすぎていないか、少し考えよう

家族仲が悪いと、それだけで大きなストレスになってしまいます。

ですから、家族仲がよいのはもちろんありがたいことですし、一つの理想です。

しかし、物事には、つねにいい面と悪い面が存在《そんざい》します。それは、仲よし家族でも同じことです。


たとえば、家族の仲がよすぎると、時として必要以上に干渉《かんしょう》されることがあります。

干渉というのは、あなたのやりたいことや決めたいことに対して、いちいち意見を言われたり、自分の個人的《こじんてき》なことや秘密《ひみつ》にしたいことを勝手に知ろうとしてきたり、口を

出したりすることを言います。

何があっても、いちいちすべて親に報告《ほうこく》し、どんな小さなことでも行動するときは親の許可《きょか》が必要で、親の命令や指図なしには何もできない……。

そんな家、ちょっと窮屈《きゅうくつ》に思いませんか？

親子といえども、独立《どくりつ》した個人です。プライバシーを尊重《そんちょう》することは大切です。

家族の中には、仲がよすぎるゆえに、自分の家族以外には関心がなくなってしまったり、外部の人間をよせつけなくなったりしてしまう人がいます。

もちろん、それでうまくいく場合もある

かもしれませんが、自分の家族以外の人たちとのつき合いがおろそかになるのは、集《しゅう》団《だん》社会の中ではあまり得《とく》にならないことが多いでしょう。

また、家族が仲よしすぎると、家族に強くたよりすぎて、外の友だちと新しい経験《けいけん》をすることがむずかしくなってしまい、成長をさまたげる可能性《かのうせい》があります。**大事なのは、家族との絆《きずな》を大切にしつつも、たよりすぎずに、自分自身も大切にすることです。それがバランスの取れた成長の助けとなるでしょう。**

ほかにも、家族の仲がよすぎると、本音を言いにくくなる場合もあります。本音や感《かん》情《じょう》をおさえこむことで、心が苦しくなり、ストレスを引き起こすこともあります。

家族仲がよいとされると、家族からの期待にこたえようとして、無理をしすぎてしまうなんてこともあるかもしれません。

ただ、こういった問題も、ちゃんと家族でおたがい本音で話し合うことで、解決《かいけつ》できるものばかりです。

大切なのは、家族でしっかりとコミュニケーションを取ることです。いろいろな意見を交わし、相談し合って、問題を一緒《いっしょ》に解決していくことが大切なのです。

中学生くらいになると、心も体も成長が加速しますし、生活にも大きな変化がおとずれます。家族と関わる時間が少なくなったり、家族と関わることそのものが、少しはずかしくなってしまう年ごろだったりもします。

ですが、人とコミュニケーションを取ることは、精神衛生《せいしんえいせい》をたもつ上でもとても大切だということがいろいろな研究でわかっています。

つねに身近にいる家族は、自分をいちばん理解しようとしてくれている存在でもあるはずです。できるかぎりコミュニケーションを取れる時間を大切にして、話をするようにしたいものです。

家族仲がよすぎると「たよりすぎ」にもつながる。何事もバランスよく

「集団になじめないとき」は大成功のチャンス

集団になじめないことを苦痛《くつう》に感じる人もいれば、他人に気をつかったり干渉されたりしないので気楽だと感じる人もいます。

もちろん、集団と関わることでえらえるメリット（よいこと）はたくさんありますが、それとは反対に、集団に関わらないからこそえられるメリットもあります。

物事は、何でもそうなのですが、不利な状況《じょうきょう》こそ発展《はってん》のチャンスだということは少なくありません。ですから、**不利な状況をむしろ発展や成長のチャンスだと考えて、逆《ぎゃく》に楽しむくらいでちょうどいい**のかもしれません。

たとえば、集団に影響《えいきょう》されないからこそ、自由な発想をすることができる場合もあります。

他人が関わらないことで、目の前にある問題を自分なりの工夫やアイデアで解決し、それがさらなる創造性《そうぞうせい》の向上につながったりもします。周囲《しゅうい》に合わせることなく、自分のペースで物事を進められるので、集中もしやすいでしょう。

人間は、何かに集中しているときは、あまりネガティブなことを考えません。ですから没頭《ぼっとう》すると、その瞬間《しゅんかん》の幸福度は高いことが研究でわかっています。

また、**ある集団になじめなくても、別の集団と関わることによって、新しいチャンスが生まれることもあるはず**です。

たとえば、新しい趣味《しゅみ》や活動にチャレンジすることで、自分と同じ興味《きょうみ》を持つ人々と出会う機会をふやせます。脳《のう》は新しい刺激《しげき》が大好きなので、そういった行動は楽しむことができます。

あるいは、あえて自分のスタイルをつきつめることで、行動やファッションなどにおいて、独自《どくじ》の自己表現《じこひょうげん》の楽しさを見つけることができるかもしれません。

さらに、性格《せいかく》が内向的で、なんとなく人づき合いがうまくできなくても、その内向性を強みととらえ、物事を深く考えたり、新しいものを作り出す活動に集中することもできます。

創造についやす時間は楽しいものです。

これらはあくまでも例ですが、ほかにもいろいろな楽しみ方があると思います。大事なのは気持ちです。

「なじめなくてイヤだな」と思っていると、やはりネガティブな気持ちになってしまいます。脳は、自分自身のことばを簡単《かんたん》に信じてしまいます。

ですから、それを逆手《さかて》に取りましょう。**なじめない中でも「この状況を楽しんでやるぞ！」という気持ちでのぞむと、楽しめてしまいます。**

さらに、とっておきの技《わざ》をお教えします。

ドイツのマンハイム大学の研究者たちの実験ですが、わりばしなどを横にして口にくわえると、強制的に笑顔が作り出されます。しかも、その笑顔のまま作業をすると、やっている作業を楽しく感じるそうです。

つまり、笑顔の筋肉《きんにく》の動きに脳がだまされて「自分は今、笑っているし、だから楽しいのだ！」と感じるわけです。

逆に、口をすぼめてションボリした顔で作業をすると、自分がしている作業を苦しく感じるそうです。

ですから「この状況を楽しんでやるぞ！」という気持ちで、笑顔で行動してみてください。それだけでも楽しくなってきますし、そこで重ねた努力が、あとになんらかの形で自分の成長、そして成功につながることでしょう。

「集団になじめない」という状況を楽しもう。まずは笑顔から始めよ

家でも学校でも教えてくれない「居場所の作り方」

今どきの12歳は「自分の居場所《いばしょ》がない」という悩《なや》みがあるそうです。

人間には「所属欲求《しょぞくよっきゅう》」というものがあります。

どこかに属していたいと思う気持ちです。

人間は社会的な動物です。集団で生活することで、わかったことや学んだことをみんなで教え合い、危険《きけん》から身を守り、食物を確保《かくほ》し、生存率《せいぞんりつ》を向上させてきました。ですから、集団に属しているほうが、安心を感じるようにできているのです。

では「自分の居場所」というのは何なのでしょうか？

まず言えるのは、精神的に快適《かいてき》で、安心感をえられる場所のことでしょう。

必ずしも、他人がいる必要はありません。自分一人で自由なことができる空間を「自分の居場所だ」と感じる人もいるでしょう。

逆に、だれかとつながっていることで、安心感をえられる場合もあります。

「自分を理解《りかい》してくれる人がいる」「価値観を共有できる人がいる」「この集団にいると自分自身を素直《すなお》に表現できる」など、そういったさまざまな環境《かんきょう》を自分の居場所と感じることもあるでしょう。また、自分の能力《のうりょく》や役割《やくわり》や存在価値《そんざいかち》がみとめられる場所も、自分の居場所と感じる場合があります。

こんなふうに、自分の居場所というのは、いろいろな考え方があります。

また、人によって、それが空間だったり、集団だったり、趣味に没頭している時間だったり、さまざまあるでしょう。

ですから、なんとなく「居場所がない」と感じたら、自分がどうしたいのかを考えてみてください。

一人で自由に思いをめぐらせたり、行動したりしたいのか。
だれか自分を受け入れてくれる人と一緒にいたいのか。
自分の話を聞いてくれる人がほしいのか。
自分の能力や価値をみとめてくれる環境がほしいのか……。

このように、自分が必要としている居場所はどういうところなのかを、自分なりに分析《ぶんせき》してみてください。

それがわかったら、その居場所を実現《じつげん》しやすい空間はどこなのかを考えてみてください。もしかしたら、リアルな空間ではなく、SNSなどのバーチャルな空間かもしれません。学校ではなく、塾《じゅく》や地域のボランティアのコミュニティかもしれません。友だちではなく、家族や親戚《しんせき》かもしれません。

あるいは、空想をしている時間だったり、本を読んでいる時間だったりするかもしれません。なんなら、本当は居場所がほしいのではなくて、単に安心感がほしいだけなのかもしれません。

こういった不安は、紙に書き出してみると、頭の中が整理され、精神的な面にもよい効果《こうか》があることがいくつかの研究によってわかっています。とくに、日記をつけるのは効果的なようです。

どちらにしても「居場所がない」と感じたら、居場所をさがすための行動をしてみてください。

宝《たから》くじは買わなければ当たりません。居場所さがしも一緒です。行動しなければ見つかりません。そうやっていろいろ行動しているうちに、そもそも何で居場所なんかさがす必要があったのか、わすれてしまう（つまり問題解決《かいけつ》！）こともあるかもしれませんよ。

居場所は、空間だったり、集団だったり、時間だったりする。実際に分析・行動してさがしてみよう

見た目じゃない。人は「表情」にひかれる

「ぼく／わたしはかわいい子／イケメン好き。でも、見た目は好みじゃない人なのに、笑顔やちょっとした表情にドキッとしてしまうことがある……」

きっと、そんな経験はだれにもあるでしょう。

ではなぜ、そういうトキメキが起こるのかを、心理学的に考えてみます。

まず、笑顔について。

笑顔にトキメキを感じる人は多いはず。

しかし、それはどうしてでしょうか？

人間は他人の笑顔が大好きです。笑顔は、自分は敵《てき》ではないことをしめす世界共通のコミュニケーションです。

とある研究によると、人間は他人の笑顔を見ると、脳の「報酬系《ほうしゅうけい》」とよばれる部位が活性化するそうです。つまり、うれしい気持ちになるわけです。

敵ではないわけですから、安心もできます。ですから、好感をいだくのです。

また、表情にはその人の感情が表れます。人は、相手の感情がわからないと不安になります。

しかし、笑顔をよく見せてくれる人、感情を素直に表現してくれる人は、感情がわかりやすいので、そういった不安がなくなります。

さらに、人は共感でつながります。より共感できる人に、好意をいだきやすいということです。

そして、笑顔は伝染《でんせん》します。笑顔の人を見ると、ついつられて、自分も笑顔になってしまうことってありますよね？

あれです。

脳には「ミラーニューロン」といって、他人の動作や表情をまねしようとする仕組みがあります。

ですから、笑顔の人を見ると、自分もつられて笑顔になるし、表情がゆたかだと感情がわかりやすいので、相手が今の自分と同じ感情なのかがわかりやすくなります。

その結果、自分に共感してくれていることが感じ取りやすくなり、だから好意をいだきやすくなるのです。

また、笑顔ではなく、むしろその逆のちょっとした表情、とくに「憂《うれ》いの表情」などにドキっとすることもあります。

その理由は、憂いの表情などは、ふだん見せない表情だったりするからでしょう。

すでに説明したように、人間は、ふだんとちがうものに直面すると、そこに注目します。本能的《ほんのうてき》にそういう仕組みを持っているからです。

ですから憂いの表情などは、とくにいつも明るい人が見せると、ふだん目にしない一面だったりするので、なおさら「気になる」わけです。

加えて、人には、他人の役に立ちたいという欲求があるので、憂いの表情などを見ていると、つい助けたくなって気になってしまうのかもしれません。

ただし、憂いの表情は、見方によっては悲しんでいるようにも見えます。いずれにしろ、あまり積極的に出すのはおススメできません。

一方で、いかりの表情は、まわりの人の作業効率《こうりつ》や生産性の低下などに、いろいろな悪影響をあたえることも研究でわかっています。

ですから、うれしさや喜びなどの明るい感情はできるだけ素直に出しつつ、怒りや悲しみといったマイナスの感情は、できるだけ見せないようにしたほうが、まわりの人から好かれるでしょう。

覚えておいて損《そん》はないポイントです。


明るい感情は素直に表情に出し、暗い感情はできるだけ見せない

「人気者はつらいよ」って知ってた？

あなたのまわりに、男女を問わず、いつもいろいろな人にかこまれている人気者はいませんか？

きっとそういう人たちは、そうではない人にとって、キラキラまぶしくて、あこがれる存在だったりしますよね。

人気者は、人生をとても楽しんでいるように見えます。

でも、**じつはそんな人気者にも、悩みはたくさんある**のです。

まず、周囲からの期待とプレッシャーです。

人気者は、まわりから期待をいだかれやすくなりますし、自分の思う理想とはちがう理想を押しつけられたりします。

そういった周囲の期待や願望が、プレッシャーとなって、人気者におそいかかってくることがあります。

「本当はこうしたいのに、こういたいのに！」という気持ちをおさえて、まわりが期待する自分を演《えん》じることに苦しむ人気者も少なくありません。

また、人気者だからといって、自分が必要としている人がまわりにいてくれるとはかぎりません。人気者のイメージにしばられて、自分を正直に表現できる友だちや場所が見つけられず、孤独《こどく》を感じてしまうこともあります。

そうなると、まわりに「本当の自分」を理解してくれる人がいないので、今あるイメージがくずれることをおそれてしまい、積極的に人と関わることをさけるようになるのです。

たとえば、しっかり者のイメージが定着しているので、素直にあまえられる人を見つけることができないといった具合です。

同様に、人気者としてのイメージが強くなると、人気者を演じていなければいけないという思いにかられて、素の自分、楽な自分でいることがむずかしくなったりします。結果、本来の自分が持っていた価値観や、自分が何者かという「アイデンティティ」を失ってしまうことがあったりします。

さらに、人気者であることで、他人から嫉妬《しっと》を買ってしまうこともあるでしょう。

第1章でも話しましたが、じつは日本人は、世界一ねたみをいだきやすい国民です。人気者は目立ちます。目立つことで、ねたみを買ってしまうのです。そのせいで悪口を言われたり、いやがらせを受けたりすることもあるでしょう。

どんなおいしい食べ物も、アレルギーを持っていて食べられない人や、そもそもきらいな人がいるように、**どんなに人気のすばらしい人でも、必ずきらいな人（「アンチ」とも言います）が生まれてしまうもの**なのです。

芸能人《げいのうじん》などの有名人も、人気者になればなるほど悪口を言われたり、イヤなことをされたりします。

しかし、それを「有名税《ゆうめいぜい》」とよんで、税金のようにイヤなものだけど、しかし仕方のないものだと受け流すようにしているようです。

こんなふうに、**人気者が人気者でいるためには、なかなかいろいろな苦労があるものです。**

「自分は人気者だ」という人で、そういった苦労を差し引いても人気者であること、人気者を演じることを選ぶほうがいい人は、それでいいと思います。

ただ、無理をしてつかれてしまうくらいなら、まわりのイメージや期待にふり回されない「自分軸《じぶんじく》」にしたがって行動するようにしましょう。

そうすれば、多くのこういった問題は解決されるはずです。

人気者をうらやましがらなくていいし、無理に人気者を演じなくてもいい

SNSは「うらやましい」であふれている

X（旧ツイッター）やインスタグラム、ユーチューブやティックトックなど、**現代社会の重要な情報源《じょうほうげん》として定着したSNSですが、いろいろな悪影響が出ている**ことが近年の研究によってしめされています。

ここでは、前回の話でも出てきた「嫉妬」について考えてみます。

ネットでほかの人の投稿《とうこう》を見て「うらやましい」と感じる心。そして、その感情がもととなって、投稿者を攻撃《こうげき》したり、自分自身とくらべて落ちこんだり……いろいろな問題につながっていきます。

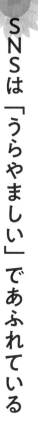

12歳を対象にしたものではありませんが、20代や40代の大人《おとな》がSNSで、相手がきずつくような、ひどい悪口を言ったり書いたりする理由の一つに、「嫉妬があるから」という調査結果もあります。

とくにインスタグラムのように、写真や動画をアップロードすることがメインのSNSは、ほとんどの人がより多くの「いいね！」をほしがるので、自分の生活のイヤな部分や、きたないものは見せません。

自分が行った「映《は》える」背景の場所、かわいい服、おいしい食べ物、話題の持ち物など、みんなが「いいね！」と思ってくれるようなものを投稿します。つまり、いい面ばかり見せようとするのです。それを見ているほうとしては、うらやましくなったり、嫉妬心をいだいたりするのも当然です。

また、他人と自分を比較《ひかく》することは、あまりいい結果をもたらしません。イスラエルのテルアビブ大学の研究者らによる、こんな実験があります。ふだんはSNSの使用が禁止されている会社の社員に、SNSを使ってもらった結果、SNSを使用して自分と比較をすると、幸福度が下がることが明らかになりました。

また、若い社員ほど比較をする傾向《けいこう》があったそうです。

では、なぜ人は他人と比較をしてしまうのでしょうか？

それは、人が生きていく上で、自分の置かれた状況や環境をよく知っていることが必要だからです。

比較することによって、自分がどういう行動を取るべきかを判断《はんだん》するのです（これを「社会的比較」と言います）。

イギリスのユニバーシティ・カレッジ・ロンドンの研究者らは、平均《へいきん》14・3歳の若者1万人以上を対象に、ある調査をおこないました。

それによると、SNSの利用時間が長い人ほど鬱《うつ》になる傾向が見られたそうです。とくに、男性よりも女性のほうが、その傾向は強かったとのことでした。

また、SNSの利用時間が長い人ほど睡眠《すいみん》時間が短く、自己肯定感《じここうていかん》が低く、自分の容姿《ようし》に自信を持てないなどの傾向がありました。SNSを使うことは、あまり精神衛生上はよくなさそうです。

ＳＮＳ上で目にするキラキラした世界は、投稿者が自分のいいところしか見せないで作り上げている「バーチャルな世界」だということをわすれてはいけません。

また、他人と自分を比較していいことなんかありません。結局「自分は自分、他人は他人」なのです。

あまり他人のことをうらやまないように心がけて、自分らしく、元気に楽しく毎日をすごすようにしましょう。

ＳＮＳはほどほどに。自分は自分、他人は他人だ

理想の形は、将来いくらでも変えられる

みなさんは将来《しょうらい》、何になりたいですか？

どんなふうになりたいですか？

その将来の目標がはっきりしていれば、自分がこれから何をすればいいかはわかりやすいでしょう。

しかし、**大半の人は、そんな先のことはわからないと考えているはずです。でも、今はそれでいい**のです。

もし「こうなりたい」という未来があっても、その通りの未来が実現する可能性は低

いですし、むしろ「その通りにいかなかったからよかった」という大人のほうが多いのではないでしょうか。

余談《よだん》ですが、どんなによく当たるうらない師も、未来のことについては、50％くらいの確率《かくりつ》でしか当たらないという話を聞いたことがあります。なぜなら「未来は努力で変えられるから」だそうです。

ただ、今のみなさんは、かぎりある人生の中でも、さらにかぎりある10代です。

せっかくなので、その時間を、未来への投資《とうし》に使うのは悪くありません。努力した分だけ未来の選択肢《せんたくし》はふえていきますので、大人よりも有効的《ゆうこうてき》な使い方できます。

いちばんわかりやすいのが勉強です。

どうして、より学力の高い学校に入る必要があるのでしょうか？

それは、少なくとも今の日本の社会においては、学力の高い人たちのほうが、選べる仕事の種類と数がとてつもなく多いからです。学力の高い人がつけない職業《しょくぎょう》より、学力の低い人がつけない職業のほうが、はるかに多いのです。

さらに、大企業《だいきぎょう》の会社員や公務員《こうむいん》のように安定している仕事ほど、学力の高い人たちに、より大きなチャンスがあるようにできています。警察官《けいさつかん》や消防士《しょうぼうし》のような公務員になるのも学力試験がありますし、大企業に入社するにも、たいてい試験があって学力は問われています。

大人になると、ほとんどの人が過去《かこ》をふり返って「若いうちにもっと勉強しておけばよかった」と後悔《こうかい》します。これは、人の何倍も勉強してきたエリートとよばれる人たちでも同じです。勉強は、いくらしても足りないものなのです。

ですから、今ここで楽をすると、将来は苦労する可能性が高くなり、逆に苦労すると将来は楽ができる可能性が高くなります。それを経験として知っているからこそ、親は子どもに「勉強しろ、勉強しろ」とうるさく言うわけです。

勉強は知識《ちしき》だけではなく、考え方や知恵《ちえ》を学びます。

また、勉強は脳をきたえます。たとえば、むずかしい計算の公式などは大人になってわすれてしまっても、算数や数学の勉強を通じて学んだ考え方、数字のあつかい方、きたえた計算の速度などは能力として残ります。

努力をすれば、階段《かいだん》を一つ上れます。そして、階段を上れば見えてくる景色がありま す。それは、今までとはちがう景色です。

「ちがう景色」というのは、それまでの自分が知らなかった世界や新しい選択肢のことです。がんばると、その分、新しい世界への扉《とびら》が開かれるのです。

学力は、勉強をやった分だけしか身につきません。そして、早く始めたら始めた分だけ、ほかの人よりも多く学べ、先に進めます。

もちろん、勉強以外のことでがんばってもいいのですが、はっきりとやりたいことがない場合は、勉強をやっておくのがいちばん可能性が広がります。だから、大人たちは子どもたちに、できるだけ早いうちから勉強を始めさせようとするのです。

あきらめたら、そこで試合終了《しゅうりょう》です。努力を重ね続けることこそ未来を変える力。そして理想の実現への近道なのです。

10代での勉強は、将来の可能性を広げてくれる近道となる

大きな目標に向かって、小さな成功を積み重ねていく

目標はあるけれど「成しとげる自信がない」とか「自分には無理だ」と、思わずあきらめてしまったことはないでしょうか。

自己効力感《じここうりょくかん》（自分が目標を達成できる能力があると思うこと）が高ければ、人は努力をするし、高い目標にもチャレンジしようとします。ですから、この自己効力感を高めていくことが重要です。

では、自己効力感を高めていくにはどうしたらいいのでしょうか？

自己効力感というのは、言いかえれば「わたしもがんばればできる」という自信で

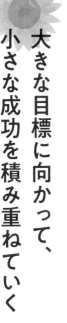

す。

その**自信をつけるためには、小さな成功体験を積み重ねていくことが大事**です。日常の中で達成できる小さな目標を設定《せってい》し、それを着実にクリアしていくのです。これは、大きな目標を達成するためにも重要なステップとなります。

また、さらなるチャレンジをしようという意欲を高める効果もあります。大きな目標を達成するには、長い時間と多くの努力が必要です。こうして小さな目標を達成していくことで、定期的に達成感を味わうことができ、やる気もたもちやすくなります。

小さな目標を達成するためには、計画を立てて実行する必要があります。その中で、さまざまな課題に直面しますが、それらを克服《こくふく》することで、問題を解決する能力や、がんばりぬく力を養うこともできます。

さらに、小さな目標を達成するためにがんばる中で、自分の得意なことや苦手なこと、成功パターンなどを分析して、自分の性格や傾向、能力をより深く理解し、効果的に目標を達成するためのヒントを見つけ出せます。

こうして**目標を立てる際に注意したいのは、それぞれの目標が、具体的で達成できるものでなければならないこと**です。はっきりしない目標では、どこまでやればいいかという基準《きじゅん》があいまいで、達成感をえられにくいからです。

また、計画を立てる際《さい》には、具体的な行動内容と「いつまでに」という期限《きげん》を明確にすると実行しやすくなります。


そして、見事に目標を達成したら、自分自身をほめてあげたり、ごほうびをあげたりすることも大切です。

わたしたちの脳は、ごほうびが大好きなのです。達成感を味わうことで、やる気をたもちやすくなります。

もちろん、挑戦《ちょうせん》する過程で、失敗することもあるでしょう。

しかし、失敗をおそれずに挑戦し、努力と工夫を積み重ねて問題を乗りこえたときに成長することができます。

「千里《せんり》の道も一歩から」と言いますが、非常に遠いところへ行くにも、足元の第一歩から始まるわけです。

同様に、**大きな目標をめざす場合も、小さな一歩を積み重ねることによって成しとげられるもの**です。

歩き出さなければ進みませんし、ゴールにたどり着けません。どんなに大変そうに見えても、やらない理由をさがすのではなく、どうやったらやれるかを考えるクセをつけましょう。

小さな目標を達成し続けていけば、やがて大きな目標もかなえられる

ぼくって女子？　わたしって男子？

ＬＧＢＴＱいうことばをご存《ぞん》じでしょうか？

最近、主にニュース番組でよく聞かれる、性の多様性を表すことばです。好きになる人や、自分が感じる性別《せいべつ》について、いろいろな形があるということです。

男と女、それぞれの性別に求められる「型」があり、それに当てはまるように努力しなければいけないという考え方は、もはや昭和時代の化石のような考え方です。

昭和の時代は、男性はファッションの幅《はば》がせまく、女性は選べる仕事がかぎられていましたが、今は男子でもメイクをしたりスカートをはいたり。女子でも自分の好きな生き方を選んでいい時代になってきたのです。同性を好きになってもいいのです。

そもそも、男女を区別する意味は何なのでしょう?

生物学的なちがいや生理的機能《きのう》のちがい、そして社会的な機能のちがいなどが男女の区別のための理由と考えられています。

まず、生物学的に、男女のもっとも基本的なちがいは生殖器《せいしょくき》の構造《こうぞう》です。男性は精《せい》子《し》を作り、女性は卵子《らんし》を作り出すことができます。

この生殖の特徴《とくちょう》によって、新しい生命を生み出す際の役割《やくわり》のちがいが生まれます。また、女性は妊娠《にんしん》や出産といった独自の生理的機能を持っています。

そして、社会的な機能でもちがいがあります。

集団の中で、男女の区別は役割分担《ぶんたん》をもたらし、社会の構造全体にもそのちがいが影響したりします。歴史的には、社会や家庭で、男女がそれぞれことなる役割をはたしてきたのです。

それが近年では、男女平等という考え方が定着してきて、社会や家庭で期待される役割にはちがいがなくなってきました。

もはや、生物学的・生理的なちがい以外で、男女を区別するのはNGです。

場合によっては、それは男女差別とさえ考えられるようになっています。

ですから**「ぼくって女子？」「わたしって男子？」と悩んだり、心配したりする必要はない**のです。

男性にも、女性によく見られる特徴を持った人がいていいし、女性にも男性によく見られる特徴を持った人がいていいのです。


生まれつき背が高い人もいれば、低い人もいます。太った人もいるし、やせている人もいます。がんばって練習してピアノがうまい人もいれば、どんなに練習してもうまくひけない人もいます。

生まれつきのちがい、あるいは生まれたあとに出てきたちがい。どのちがいも個性《こせい》です。いろいろなタイプの人がいていいのです。

そのほうが、社会全体が発展する可能性が高まりますし、新しいものを次々に生み出す源《みなもと》になります。

「男子はこうでなければいけない」「女子はこうでなければいけない」という考えはす

てましょう。多様性の中にこそ、つねに新しい発見や創造が生じるものです。

それは性別も同じです。**いろいろな形をみとめ合える社会こそ成熟《せいじゅく》した社会であり、現代の理想の社会です。**

同じように、みなさんが個人として、いろいろな人、いろいろな形をみとめられるようになることも、人間としての成長・成熟なのです。

男女の区別にこだわらない。それぞれの個性をみとめ合おう

男らしさや女らしさはほどほどに

いまだに「男らしく（いさぎよく）責任《せきにん》を取れ！」や「女らしく（おしとやかに）しなさい」のようなことを言う人たちがいます。

前の話でも少しふれましたが、こういった発言は、いまや公の場では言ってはいけないことばとなりつつあります。ですが、実際《じっさい》にはいまだに使われていて、なかなか完全になくすことができません。

そもそも、典型的な男性や女性は、本当にそういうことばがしめすようにふるまっているのでしょうか？

答えはノーです。

たとえば、いさぎよくない男性も、おしとやかでない女性も世の中にはたくさんいますし、もちろんそれが悪いわけではありません。

こういった、性差《せいさ》にもとづいた実態《じったい》のない「型」にはめようとするのは、まったく無意味ですよね。

男らしさ、女らしさについては「過剰矯正《かじょうきょうせい》」という現象《げんしょう》があります。

これは「～ぽさ」「～らしさ」を求めるあまり、本物よりもその特徴を強調しすぎてしまう現象です。

たとえば、おじさんやおばさんが若者っぽくしゃべろうとして、実際の若者が使っている以上に「若者ことば」とよばれるものを使ってしまうような場合です。

おじさんやおばさんが、ラインやメールで、やたらに絵文字を使ってくることも、過剰矯正の例として考えられます。そういうメッセージに、「なんかちがう」と思ったことがある人もいるでしょう。

これと同じことが、男らしさ、女らしさということにも言えます。「～ぽさ」「～らしさ」を出そうとすると、やりすぎてしまって逆に不自然になってしまうのです。

性別のしばりをなくそうとすることで、それぞれの性別に対する社会の期待にしばられず、自分自身が望む生き方や職業、趣味、興味を自由に選べるようになります。

男らしさ、女らしさをほどほどにとらえることで、ことなる個性や興味を尊重し、多様性が受け入れられるようになります。

無理に自分を演出するのは、メンタルヘルスに悪影響をあたえることがありますし、自分に合わない期待にこたえようとすることでストレスがかかります。

ですから、自分が自然でいられる形で生きてください。

大切なのはいろいろな形、他人の自由な選択を尊重し、受け入れることです。

昔とちがい、今は多様性を受け入れる社会になりつつあります。自分を信じて、自分らしく、自分軸で自信をもって生きていきましょう。

そのためには、しっかりと自己分析をして、自分の「あるべき姿」ではなく、自分の「ありたい姿」を見出して、それを実現できる環境を整えていくことです。

生きづらさを感じない日常《にちじょう》を手に入れられるようにしましょう。

「〜ぽさ」「〜らしさ」ではなく、自分が自然にいられる形で生きていこう

第4章

感情にふり回されず、変化を楽しめる人になろう

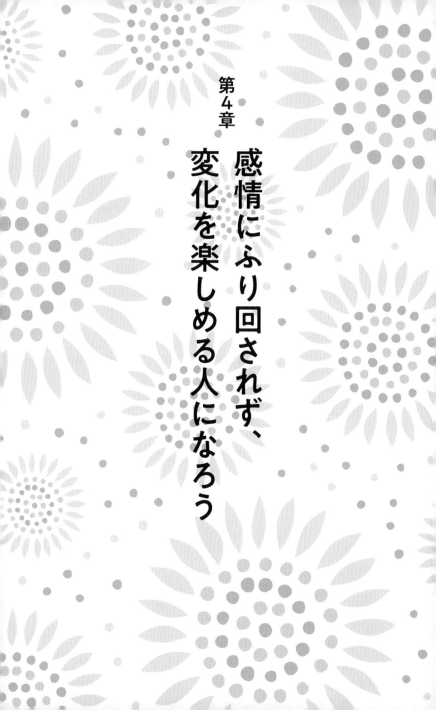

どんなに有名人だって緊張はする

人生最大の見せ場！

だれでも緊張《きんちょう》と不安で、カチカチになってしまうと思います。

それは、世界という大舞台《だいぶたい》に立つトップアスリートや有名人でも同じです。みなさんと同じように、彼らも緊張します。

でも、そういう人たちは、緊張をおさえてパフォーマンスに影響《えいきょう》させない方法も、同時に知っています。

それが次の法則《ほうそく》です。

「練習は本番のように。本番は練習のように」

いつも通りのことを、いつも通りにいつもの気持ちでやる。

これを心がけるのです。

そうすれば、いつも通りのよいパフォーマンスができるということです。


この「いつも通り」を実行するために、自分をいつもの「モード」に持っていくためのアクションを持っている人も多いです。

たとえば「自分の出番の前には必ずこの曲を聞く」とか「試合会場に入るときは必ず左足から入る」などです。このように、いつも決まったアクションを取ることを「ルーティン」と言います。

伝説的なメジャーリーガーとなったイチロー氏も、現役《げんえき》時代、自分の打席を前にしてベンチを出てから、ネクストバッターズサークルに入ってストレッチをし、打席に入ってバットをかまえるまでの動作が、まるでプログラムされたかのように、つねに同じだったことで知られています。

本当かどうかはわかりませんが、なんと歩数まで決まっていたという話もあります。
こういうルーティンを作っておけば、いつものことをいつも通りにやっているだけなので、とくに緊張することもなく、力まずに平常心《へいじょうしん》でのぞめるというわけです。

つねに数千人の前で演技《えんぎ》を披露《ひろう》する「劇団四季《げきだんしき》」で主役をつとめていた佐藤政樹《さとうまさき》さんに聞いた話ですが、劇団四季では「張り切って並《なみ》」ということが重んじられるそうです。「並」というのはいつもの状態《じょうたい》、パフォーマンスのこと。つまり、**いつものことをいつも通りにやることを大切にしてい**るのです。

スポーツ科学の研究では、アスリートたちがいちばん高いパフォーマンスを見せたのは全力でのぞんだときではなく、9割程度《わりていど》の力でのぞんだ場合だったそうです。

本番を全力でのぞみたくなるのはわかりますが、そうすると力んでしまって、逆《ぎゃく》にパフォーマンスが落ちてしまう可能性があるのです。

また、本番だけ120％のパフォーマンスができるなんて奇跡《きせき》の話です。そんな奇跡を期待してはいけません。

少し余裕《よゆう》を残して、いつも通りにやることが大事だということですね。いつもの心のモードに入るための「ルーティン」を作るのもいいでしょう。

本番だからと変に力を入れず、いつも通りにやるほうがいい結果につながる

人見知りしちゃう？　でも、そんな自分でいい

人の性格《せいかく》というのは、じつはいつも同じではありません。

相手によって、立場によって、状況《じょうきょう》によって、そして気持ちなどによって、つねにコロコロ変わっていくものです。


どの自分も「本当の自分」です。

ふだんは、どちらかというと人見知りの人でも、状況や相手によっては社交的にふるまえたりします。もちろん、その逆のパターンもあって、ふだんは社交的な人でも、やはり状況や立場などが変わったことで、人見知りになってしまうこともあるでしょう。

二か国語を話せる人を「バイリンガル」と言いますが、バイリンガルがことばを変えた瞬間《しゅんかん》に性格が変わるのは有名な話です。

わたしたちも、いつもと服装《ふくそう》や髪型《かみがた》を変えただけでも、なんとなくちがう自分になれた気がして行動が変わったりもします。

また、同じ相手であっても、立場や環境《かんきょう》によっては性格が変わります。

たとえば、ふだん仲よしの友人でも、クラスの話し合いで議長として話しているときは別人のような性格になっていたりします。

感情の変化も性格に影響します。いつもはおだやかな人が怒《おこ》ると、ふだんは見られない性格があらわれたりします。

そんなふうに、人間の性格というのはとても流動的なものです。

自分の性格というのは、結局「自分×○○」というかけ算で決まるものです。

そう考えると「本当の自分」というのは「自分が好きな自分」「楽な自分」「理想の自分」という思いこみにすぎないのかもしれません。

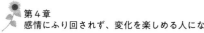

じつは、いろいろな「自分」の集合体があなたであり、あなたの性格なのです。

ですから、人見知りしちゃう自分がいたっていいのです。

そもそも人見知りは、防衛本能《ぼうえいほんのう》の一部です。自分を守るために、わざと交流をさけようとします。新しく出会った人は、自分の中で「この人は安全だ」という自信が持てないので、とりあえずさけておくのです。

自分を守ることは、悪いことではありません。たとえば「いつでもだれとでも仲よくなれる」という人では、相手が悪人や犯罪者でも仲よくなってしまい、かえって危険《きけん》ですよね。

人見知りが自分の身を守ってくれることだって多々あるということです。

また、話すのがあまり得意ではないという人は、聞き役に回るのも悪くありません。

人間は、基本的《きほんてき》に「語る」のが大好きな生き物です。話し始めると脳《のう》の喜びを感じる部位が活発になります。

ですから、相手に話させてあげるだけで、あなたの評価《ひょうか》も上がったりします。

東京大学の研究者がおこなった実験によると、会話中によくあいづちを打ったり、うなずいたりしてくれる人は、相手からの好感度が高くなるということがわかっています。

ですから、自分から話すのが得意ではなくても、相手の話に「うんうん」とよくうなずくことや、タイミングよく「そうだよね」「へー」などのあいづちを打つことを心がけてみてください。

人の話を聞くことは意外に面白いですし、また自分の話をする人は多いですが、ちゃんと聞いてくれる人は少ないものです。

聞き役に回って、面白そうに相手の話を聞いていれば、きっとかけがえのない友人が作れるでしょう。

人見知りも個性《こせい》。話すのが苦手なら聞き役に回ろう

プレッシャーには早めになれておこう

体育祭、文化祭、発表会、部活の大会、持久走《じきゅうそう》大会、受験などなど、みなさんの人生の中でプレッシャーに直面する場面はたくさんあります。

プレッシャーを感じると、不安になってパフォーマンスが下がったり、体がかたくなって、せっかくのチャンスをのがしてしまったりします。

プレッシャーを感じること自体は悪いことではありませんし、さけられないことでもあります。

大切なのは、プレッシャーとどう向き合って、対処《たいしょ》していくかということです。

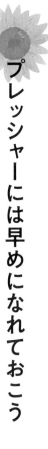

人間は、いろいろなプレッシャーを乗りこえて、望んだ結果をえられたときに大きな喜びを感じ、人としても成長していきます。

どうせさけては通れないプレッシャーなら、早めにいろいろ経験《けいけん》しておき、そういう状況になれておくほうがいいでしょう。

プレッシャーを乗りこえた成功体験を積んでおくことで、また次のプレッシャーを感じる状況になったときに、うまく対処できるようになるからです。

ここでみなさんに、プレッシャーとうまくつき合う、とっておきの方法を一つお教えします。アメリカのハーバード大学のブルックスという研究者による、ちゃんとした実験にもとづいた研究です。

プレッシャーにさらされたときは「わたしは不安だ」などと思わずに「わたしはワクワクしている!」とつぶやいて自分に言い聞かせましょう。するとと、脳がだまされてパフォーマンスが上がるそうです。

同じような対処法を第3章でも話しましたが、ここではなぜ脳がだまされるのかをご説明します。

脳は、暗い頭蓋骨《ずがいこつ》の中に、つねに閉じこもっています。自分自身では、見ることも、聞くことも、感じることもできません。

つまり、体から送られてくる情報《じょうほう》を待っていて、その送られてきた情報をもとに、自分の体をどういう状態に持っていったら最適《さいてき》になるかを判断《はんだん》して調節します。

緊張すると、手足がふるえたり、心臓《しんぞう》がドキドキしたりします。**そういう体の状態を脳が「わたしは不安なんだ……」と思ってしまうと、体をもっとカチコチにさせて防衛の準備《じゅんび》をしてしまいます。**

しかし人間は、うれしくて興奮《こうふん》したときにも手足がふるえたり、心臓がドキドキしたりしますよね？

ですから、本当はプレッシャーで手足がふるえたり、心臓がドキドキしたりしていても、脳がそう判断するときに「自分は興奮している、ワクワクしているんだよ」とことばで言い聞かせてあげましょう。

すると、脳がかんちがいをして、よりよいパフォーマンスができるように、体の状態を調節してくれるわけです。うそみたいな話ですが、ちゃんと実験によって効果《こうか》がみとめられた方法です。

ことばだけでできるとても簡単《かんたん》な方法ですので、みなさんもぜひ試してみてください。

「自分はワクワクしている」と脳をだませば、プレッシャーにも簡単になれる

あせらなくてもいい。たいていは間に合う

学校や約束の時間に遅刻《ちこく》しそうなとき、発表があるとき、準備が十分でないとき、急に意見を求められたとき、大切な決断《けつだん》をしなきゃいけないとき……ついあせってしまうことがあります。

そういうときには、頭の中が真っ白になりそうになることもあるでしょう。

しかし、あせって行動して、よい結果が出ることはほとんどありません。むしろ、あせることで判断力がにぶり、ミスをしてしまうことが多くなったりもします。

あせらずに行動するために大切なのは、ふだんから先のことを考えて、あらかじめ準備していたり、余裕を持った計画を立てたりすることが大切です。

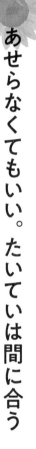

ただ、それがなかなかできないから、こまってしまうわけですよね。それに、きちんと準備をしていたところで、予期しない出来事が起きたりすることもあります。ですから実際《じっさい》には、あせってしまったときに、自分のあせりの感情《かんじょう》をどうコントロールしていくかが大事なのです。

発表の直前など、本当に時間的に差しせまっていて、瞬時《しゅんじ》に解決《かいけつ》しなければいけないあせりの感情でしたら、いちばん効果的なのは深呼吸《しんこきゅう》です。

あせりというのは、交感神経《こうかんしんけい》とよばれる神経が、危険から身を守るために興奮している状態です。これによって、心臓がドキドキする回数がふえたり、筋肉《きんにく》がかたくなったり、呼吸が早くなったりします。

交感神経の興奮をおさえるために、深呼吸というのはとても有効《ゆうこう》です。

深呼吸は、ただ「スーハー、スーハー」と呼吸すればいいわけではありません。10秒くらいかけて、ゆーーーっくり鼻から空気をすって、2、3秒くらい息を止め、そこからまたゆーーーっくり10秒くらいかけてはいてみてください。

もちろん、10秒ぴったりでなくても大丈夫《だいじょうぶ》で、前後があってかまいません。できるだけゆっくりすることが大切です。

呼吸する際《さい》は、目を閉じることもわすれずに。人間は、目を閉じるとα波《アルファは》という脳波があらわれます。α波は、リラックスしたときにあらわれる脳波です。目を閉じることで、無理やりα波を出させて脳を落ち着かせるわけです。

そして、余計《よけい》なことは考えずに、深呼吸することに全集中してください。集中すると、集中することに使われる脳の部位の活動が活発になります。集中するると、あせっているときに活発化する脳の部位のエネルギーがそっちに持っていかれるので、気持ちが落ち着いてくるのです。

次に、準備不足や、しめ切りなどと関わるあせりです。これは時間的に瞬時に解決しなければいけない話ではないので、深呼吸はあまり意味がありません。

では、どうしたらいいでしょうか？

答えは簡単、まずはやり始めることです。やらなきゃ終わらないし、進みません。じつは「パーキンソンの法則」といって、人間はギリギリになるまでとりかからないものです。

ですから、もしギリギリになってしまっても、あせらずに、全力で、全集中で、とにかく取りかかるのです。

人間は、ちゃんと集中しているときには、不安やネガティブな感情から解放《かいほう》されます。脳は、作業に集中することに、エネルギーをすべて使おうとするからです。

それに、たいていのことは、やればなんだかんだいって間に合います。あきらめさえしなければ、間に合わせようと最大限《さいだいげん》の努力をするからです。

あせりはだれにでも起こる感情です。しかし、あせる必要はありません。あせらずに行動すれば、たいていは間に合います。あせりの感情とうまくつき合い、着実に進んでいきましょう。

あせらないで。深呼吸か、やり始めるか。いずれにしろ、たいてい問題なし

気になる人の前では「はずかしい！」

気になる人の前では、ついはずかしくなってしまう……。

そういう経験は、きっとだれにでもあるのではないでしょうか。

この主な原因《げんいん》は、自己評価《じこひょうか》が低下してしまうことと、他人からどう見られるかが気になることと考えられます。

気になる人の前では、自分が魅力的《みりょくてき》に見られたいという気持ちが強くなります。しかし、同時に「自分は相手に好かれていないのではないか」とか「相手にがっかりされてしまうのではないか」という不安も生じてきます。

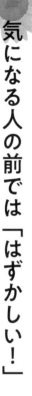

こういった不安が起こると、自己評価が下がります。自分自身を魅力的に評価できなくなると、自信を失くしたり、あるいは「自分はダメだ」という自己否定《ひてい》の気持ちが生まれたりします。

また、気になる人の前では「自分がどういうふうに思われているか」「相手にどのような印象をあたえているか」ということを意識《いしき》してしまいます。これを「社会的承認《しゃかいてきしょうにん》欲求《よっきゅう》」と言いますが、これを気にするあまり、緊張や不安を感じやすくなるのです。

不安になると、交感神経が活性化して、心臓のドキドキが速くなったり、血圧《けつあつ》が上がったりします。いわゆる「ドキドキする」「顔が赤くなる」といった状態です。

これが、はずかしいという感情なのです。

気になる人の前ではずかしくなってしまうのは、だれにでも起こる自然な感情です。しかし、はずかしくなってしまうと、コミュニケーションがうまくいかなかったり、自己評価が下がったりします。

せっかく気になる人の前にいて、仲よくできるチャンスなのに、いつも通りにふるまえないのはイヤですよね。

ですから、そうなってしまったとき、せっかくのチャンスをのがさないようにするためにも、ふつうにふるまえるようにする方法を考えてみましょう。

まずは、やはり前にもお話しした深呼吸です。強制的《きょうせいてき》に交感神経を落ち着かせましょう。もちろん、いきなり人前で深呼吸するわけにもいきませんから、前もって、ものすごくゆっくりと集中しながら深呼吸して、心を落ち着かせてください。

ほかにも、ふだんから準備のために実践《じっせん》しておく方法があります。まず、自己肯定感《こうていかん》を高めることです。自分自身が「自分は価値《かち》ある存在《そんざい》なんだ」とみとめられるようにしておくのです。

これには、**自分のよいところをみとめ、自信を持つことが大切**です。ふだんから自己分析《ぶんせき》をして、自分の長所を自覚しておきましょう。

また、なんと言っても「なれ」は大切です。

気になる人とせっする機会をふやすことで、なれることができます。最初は緊張するかもしれませんが、はずかしさは徐々《じょじょ》にへっていくでしょう。

脳は、同じ刺激《しげき》をくり返し受けると「馴化《じゅんか》」といって、刺激を刺激と感じないようになっていきます。

同じ刺激がくり返しきたとき、とくにそれが生命をおびやかすものでないなら、いちいち大袈裟《おおげさ》に反応《はんのう》しないほうがいいですよね？

ですから、脳は馴化という作用を通して、感じないようにしていくわけです。

でも、**じつは恋愛《れんあい》は、そういうドキドキが楽しい**のです。大人になると、そういうトキメキも、馴化のせいで感じたくても感じなくなってしまいます。

そう感じられる今のうちに、どんどんドキドキを感じて、トキメキを楽しんでください。長い人生のうちの今だけの特権《とっけん》なのですから。

「はずかしさ」になれる一方で、ドキドキを楽しもう

モヤモヤしたら好きなことをやろう

大人だって、日々の生活にいろいろあるように、みなさんだっていろいろあるはずです。モヤモヤすることも、イライラすることもあります。**モヤモヤ・イライラしていると、勉強やほかのやらなければいけないことにまで影響が出て、効率《こうりつ》が悪くなったりします。**楽しいことも、楽しくなくなってしまいます。

イライラはとりあえず置いておいて、モヤモヤすることって、本当にそんなに長い時間、考えていなきゃいけないことでしょうか？

友だちに親切にしてあげたのに「ありがとう」って言ってもらえなかった。

あいさつしたのに、相手から返ってこなかった。

ラインを送ったのに「既読《きどく》」がなかなかつかない……


おそらく、こういう状況になったらモヤモヤするでしょう。

でも多くの場合、来年、３年後、あるいは10年後まで、引きずって悩《なや》むようなことではないはずです。

だったら、今わすれてしまってもいいのではないでしょうか？

そんなことに時間を使っているのはもったいないです。


人間は、わすれる生き物です。

エビングハウスの「忘却曲線《ぼうきゃくきょくせん》」というものがあります。人は、一度覚えたものを、あまり時間を空けずに、くり返し見たり聞いたりすると、よりわすれにくくなるという理論《りろん》です。

うらを返せば、人はくり返し思い出したりしなければ、たいていのことはわすれてしまうということです。

ウジウジ考えるから、余計に頭に残るのです。

人間は、集中できていないとき、余計なことを考えてしまうという話を何回かしました。**ひまだから、どうでもいいことを、いつまでも気にして考えてしまうのです。**

つまり、モヤモヤしたときは、なんでもいいので、好きなことに集中して取り組めばいいのです。集中すれば、余計なことを考えなくなります。

とくに好きなことであれば、なおさら集中しやすいでしょう。好きなことですから、うれしい気持ちにもなります。

また、集中するといろいろなことが達成できます。その達成感が、またみなさんを成長させてくれます。モヤモヤしている時間なんて本当にもったいないです。

もちろん、モヤモヤの程度が大きく、来年も絶対に思い出してモヤモヤしているだろう、なんてこともあるでしょう。

でも、そのような大きなモヤモヤの原因は、たいていの場合、原因を取りのぞけません。解決しにくいからモヤモヤするのです。

でしたら、やはり、とりあえず集中すれば、そのあいだはそのモヤモヤのことはわすれられます。それが脳の仕組みだからです。

10代というのは、長いようでとても短いです。大人になってふり返ると、本当に一瞬《いっしゅん》に感じます。それは、無垢《むく》で、無敵《むてき》で、キラキラとかがやいていた時間です。

一生に一度しかないこの時間を、モヤモヤにさくのはもったいないでしょう。好きなことをして、その人生の貴重《きちょう》な時間を素敵《すてき》にいろどりましょう。

モヤモヤしてきたら、好きなことに集中しよう。時間がもったいない!

キレるのは仕方がない。問題はキレ方だ

ちょっとしたイライラするできごとで、感情が爆《ばく》発《はつ》してしまうことがあります。いわゆる「キレる」という状態です。

なぜ、人はキレてしまうのでしょうか？

主な理由はストレスです。**ストレスがたまると、ちょっとしたことでイライラしやすくなって、キレやすくなります**。

脳には、感情をコントロールする「前《ぜん》頭《とう》前《ぜん》野《や》」という部位があります。ストレスやつかれによって、この部分がうまく働かなくなると、感情をコントロールできなくなり、

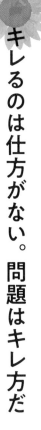

キレやすくなります。

もちろん、生まれつきキレやすい性格の人もいます。また、おさないころに親からどなられたり、暴力《ぼうりょく》をふるわれたりした経験があると、キレやすい性格になることがあると言われています。


中学生になると、心にも体にも大きな変化が起こります。さまざまな悩みや迷い、心の中での戦い（「葛藤《かっとう》」と言います）をかかえやすい時期です。

成績が上がらずあせりを感じたり、友だちとくらべて自分ができていないと感じたり、友だちとうまくいかなかったり、家族とケンカしたり、部活がきついと感じたり、自分の体型や顔にコンプレックスを感じたりします。

ほかにも、睡眠《すいみん》不足やホルモンバランスの変化など、さまざまな原因で心が不安定になりがちな時期です。ですから、キレやすくなってしまうのは、ある意味、仕方がないことなのかもしれません。


ただ、キレたとき、どういうふうにキレるかによって、そのあとの気持ちや行動、友

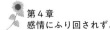

だち関係などにも大きな影響が出ます。ですから「キレ方」には、少し注意しなければいけません。

たとえば、相手がいる場合、その相手に対してヒドいこと、わざときずつけるようなことを言ったりするのはよくありません。

それが原因で、うらまれてしまうかもしれませんし、相手が心をいためてしまうかもしれません。それに、**人のことを悪く言うと、自分自身が言われた場合のようにきずつく**ということをしめした研究もあります。

また、そういう場面を見かけたまわりの人も影響を受けます。他人が暴言《ぼうげん》をはかれるのを見ただけで、パフォーマンスが25％、創造性《そうぞうせい》（何かを生み出す力）が45％も下がることが、アメリカ・ジョージタウン大学の研究者らの実験でしめされています。

また、キレてどなっている姿《すがた》というのは、正直かなりおさなく見えてしまい、まったくかっこよくありません。そういう姿が高く評価されることは決してありませんし、評判《ひょうばん》を落とすだけです。

キレて暴言をはいたりすることは、本人をふくめ、結局だれも得をしないのです。

「短気は損気《そんき》」などということわざもあるくらいです。

でしたら、キレたとしても、あとくされなく、まわりへの悪影響がないように、ゆっくり深呼吸でもして落ち着いて、冷静にこちらの不満や要望を伝えるほうがいいでしょう。

冷静に頭の中で状況を整理して、論理的《ろんりてき》に考えるようにしてください。

そうすることで、感情に関わる脳の部位の活動がおさえられるので、いかりの気持ちもやわらぎます。

キレてどなってもいいことは一つもない。まずは深呼吸でもして落ち着こう

イライラしたら行動を修正するチャンス！

キレるまではいかなくても、イライラすると、何もかもがイヤになってしまい「もうやめた！」と投げ出したくなったりしますよね？

投げ出す理由は、たとえば「イライラしてやる気がなくなったから」ということもあるでしょうし、あるいは「やらないことによって相手をこまらせてやりたいから」という場合もあるでしょう。

でも、それは幼児《ようじ》が駄々《だだ》をこねる行動とまったく一緒《いっしょ》です。

12歳にしては、ちょっとおさなすぎる反応と言えます。

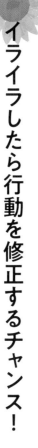

幼児が、自分のしてほしいことを親がしてくれないと、ダメだとわかっているのに地面に転がって、手足をバタバタしたりします（そして余計に怒られる！）。

これは、ダメだとわかっているのに、わざと相手がこまることをして、自分の思う方向にことを進めようとしているわけです。

そうしたくなる気持ちはよくわかります。

でも、そんなことしても、物事はうまく進みませんし、人間関係にヒビが入ることもあります。

きっと、よい結果をもたらすことのほうが少ないのではないでしょうか？

感情はどうあれ、やらなければいけないことはきちんとこなしましょう。これが、成長とともに求められるようになってくる行動です。

みなさんのお父さんもお母さんも、イライラしていても、気が乗らなくても、やらなきゃいけない仕事はきちんとこなしていますよね？

そういうものなのです。

ですから、たとえイライラしたとしても、そのときそこで「もうやめた！」となるのは、いくらなんでもかっこよくありません。

むしろ「なんでこうなったのかな？」と考えてみましょう。

冷静になって状況を分析し、どうしたら自分をふくめた人すべてがハッピーになれるのかを考えるのです。

こういう冷静な分析を集中しながらおこなうと、怒っているときに活発になる脳の部位がおさえられます。

結果、イライラもおさまります。

怒りという感情は、じつは寿命《じゅみょう》が短く、数秒間をやりすごせばおさまるということが言われています。

だから、怒ったときは、深呼吸をしたり、10まで数えてみたり、ほんの数秒でいいので、ちがうことで気をまぎらわせると、少し気持ちが落ち着くのです。何か別のことを考えるのももちろん有効です。

イライラしたら、逆にしっかり考えるチャンス!

マイナスの状況をプラスに変える方法を考えましょう。あえて分析的な視点から考えて、行動や判断を修正する。こういう行動のクセをつけることは、必ずみなさんの成長のチャンスになるはずです。

イライラしたら数秒間、別のことで気分をまぎらわせよう。きっと成長できる

一人の時間を有効にすごせる人になろう

人間は社会的な動物です。

ですから、だれかと一緒にいたいと思う本能があります。

ただ、**時には友だちや家族と関わらずに、一人きりの時間を作ってみることも大切**です。自分自身の成長につながるからです。

まず、一人の時間を有効にすごすことで、自分自身と向き合い、自分の価値観や目標などを見つめ直して、自分が本当に求めているものを考える機会がえられます。紙に書き出してみるのもいいでしょう。

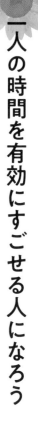

それを習慣《しゅうかん》にすることで、考えが整理され、ストレスから解放されて、考えがスッキリし、脳の働きがよくなることも研究でわかっています。

人と関わっているときには、それだけ多くの情報にせっしますし、人に合わせるために我慢《がまん》したり、制限したり、気をつかったりすることが必要です。

でも、一人の時間は、そういったことから解放される貴重な時間となります。自分だけのペースですごすことでリラックスでき、メンタルヘルスが向上します。

また、一人の時間は、アイデアを考えたり、趣味《しゅみ》に没頭《ぼっとう》したり、スキルをみがいたりするための時間にもなります。

さらに、集中して課題に取り組めるので、生産性が上がりやすくなります。

ですから、音楽を聞くもよし、読書をするもよし、絵を描いたりするのもよし。脳は新しいものが大好きなので、新しい趣味にチャレンジするのもいいでしょう。

そして、一人でいる時間をうまく使うと、友だちや家族など、ほかの人の考えに左右されないで、自分の考えややりたいことに集中できるようになります。

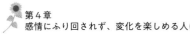

自分の思い通りに物事を考えて、進めるスキルが身につきます。
じつは、こういった能力《のうりょく》は、大人になって、ひとり立ちしたときに必要な能力の基礎《きそ》となります。ですので、心も体に大人に近づいてきている、みなさんくらいの年齢《ねんれい》からきたえていくのは大切です。
もちろん、つねに一人の時間をすごしなさいと言っているわけではありません。**みなさんそれぞれの生活状況や好みに合わせて、一人だけの時間とだれかとすごす時間をうまく調和させることが理想的です。**
とはいえ、学校では集団生活、家でも家族と一緒にくらしていると、なかなか一人でいる場所を作るのは、むずかしいこともあるかもしれません。

ですから、**たとえば、図書館や美術館《びじゅつかん》、公園やカフェに行くのもいい**でしょう。あえて一人ですごし、心をリセットできる「特別な場所」を持っておくのです。

じつは、みなさんのお父さんやお母さんも、こっそりそういう心をリセットできる場所を確保しているかもしれませんよ。


たまには一人の時間を作ってみよう。心をリセットできるいいチャンス

もっと「注意のベクトル」を自分に向けよう

ベクトルとは「向き」と「大きさ」を持った矢印のことです。

たとえば、風船を飛ばしたとき、風船がどの方向に、どれくらいの速さで動くかをしめす矢印のことです。

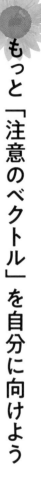

さて、みなさんは、人と話すのが苦手ですか？
では、その苦手意識の原因は何でしょうか？
もし、その理由が「相手からつまらないと思われないか？」「相手にきらわれるのではないか？」などのベクトルが「相手に向いている」ことが理由であれば、それは、自分自身を悪く考えてしまうため、人と話すことに不安を覚えてしまうのです。

人と話すのが苦手な人は、さまざまな原因が考えられます。

たとえば、人前で失敗した経験、いじめやいやがらせを受けた経験、親しい人にうら切られた経験など、過去のネガティブな経験が、人と話すことへの恐怖《きょうふ》や不安につながっている可能性があります。

また、そもそもの性格の問題で、人前で話すことや、初対面の人と話すことなどに対して、強い不安や恐怖を感じるからという人もいるでしょう。

これは「対人恐怖症《たいじんきょうふしょう》」とよばれますが、そこまではいかなくても、内気な性格の人は、もともと人と話すことが苦手だったりもします。

さらに、経験不足から生じる不安もあります。

たとえば、人と話す機会が少ない環境で育った人は、人と話すことになれていないため、苦手意識を感じることがあります。

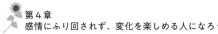

こういった問題に対処するには、ベクトルを相手ではなく、もっと自分のほうに向けてみることが大切です。

具体的には、もっと自分に自信を持つことです。もし、自信を持つのがむずかしいなら、少なくとも不安がらないようにします。

そのためにも、まずは小さな成功体験を積み重ねることから始めてみましょう。

自分にとって話しやすそうな人との簡単な会話から始めて、だんだん会話のはばを広げていくなど、自分にとって無理のない範囲《はんい》で挑戦《ちょうせん》を重ねてみるのです。

先ほど、人の性格というのは、相手や環境や状況や感情などで、つねに変化すると説明しました。

ですから、いつもとはちがう人たち、たとえば、共通の趣味や興味《きょうみ》を持つ人たちと交流することで、会話のきっかけを作りやすくなり、自然とコミュニケーションが取りやすくなります。

最初のうちは、できるだけそういう人たちと関わるようにして、自信をつけてもいいかもしれません。

また「自己暗示《じこあんじ》」も効果《こうか》があるとされています。

人と話す際に、恐怖心が頭をよぎったら「失敗しても大丈夫。練習だから！」「会話を楽しんじゃおう！」「今日も一歩ずつ前進しよう！」「わたしはできる人だ！」と自分自身をはげますポジティブなことばを用意しておくのです。

相手を大切にすることはもちろん、自分のことも大切にする。このことをわすれないでください。


相手にベクトルが向いていると不安になりやすい。もっと自分に向けて自信をつけよう

第5章

何事にも折れない心は
こうして育てる

他人からの評価を気にしない人になる方法

他人からのことばや評価《ひょうか》って、少なからず気になりますよね。いくら気にしないようにしても、どうしても気になってしまいます。

それは、人間は一人で生きていくことができない、人の中で生きていかなければならない生き物だからです。

友だちや大切な人たちとのつながりをたもちたいし、一緒《いっしょ》に社会生活を送っていく人たちとの関係を大切にしなければいけません。

ですから、自分のことをほかの人がどう思うか、気になるのは仕方のないことです。

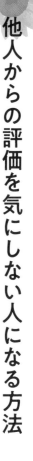

また、ほかの人の意見や評価は、自分のことを知る手がかりとなります。

友だちや先生、家族からの印象《いんしょう》や評価を通して、客観的な視点《してん》から自分の強みや、のばすべき点を知ることができます。

ただ、気にしすぎると、こわくなって行動ができなくなったり、自分らしさを失ったり、ストレスになったりします。

ですから、**他人からの評価は大切ですが、それにふり回されすぎないように気をつけることも大事**です。

自分の気持ちや考えを大切にしつつ、他人の意見も受け入れて、本当にやりたいこと、なりたい自分を見つけていくことが大切です。

では、どうしたら、他人の目を気にしない人になれるのでしょうか?

大切なのは「自分軸《じぶんじく》」を見つけることです。

自分軸というのは、まわりの意見に流されたりしないで「自分がどうしたいか」「どうありたいか」という、自分の中心となる基準《きじゅん》ですよね。

この自分軸がはっきりすれば、まわりの意見に左右されなくなりますし、自分の意見をしっかりと言えます。

そして、自分らしい人生を送ることができるようにもなります。

自分軸を作るには、まずは自分自身のことを分析《ぶんせき》することが大切です。自分の好きなこと、得意なこと、興味《きょうみ》のあることは何なのかをはっきりさせましょう。

これらは、紙に書き出すと整理しやすくなると思います。ペンとノートを持ってきて実際《じっさい》に書き出してみてください。

とくに、過去《かこ》をふり返ってみて、いちばん好きだった自分はどういう自分だったのか、自分がいちばんかがやけたのはどういうときだったのか……。

そういうことをふり返りながら、そのときの自分の心の状態《じょうたい》はどんなものだったかなどを考えて、自分自身のなりたい未来の姿《すがた》に結びつけていくのです。

自分軸を大切に生きていくために、ほかにも大切なことがあります。自分と他人をくらべないこと、自分を信じてあげることです。

自分でどう行動するかを決めることを「自己決定《じこけってい》」と言います。

この自己決定度合いが高い人は、幸福度も高いということがわかっています。また、自分で決めたことを実行すると、失敗しても後悔《こうかい》が少なくなります。

自分のことなのですから、他人の目や評価にふり回されずに、自分軸をしっかり固めて自分で決めていきましょう。

自分軸を固めておこう。他人の評価も気にならなくなる

親や先生との約束よりも、自分との約束を優先しよう

前の話でふれた「自分軸」をしっかりと持っていく上で、もう一つ大切なことがあります。それは、親や先生との約束よりも、自分との約束を優先《ゆうせん》することです。

自分との約束を守るとは、どういうことをいうのでしょう。

たとえば、このようなことを決めたことはありませんか？

「毎日10分英語の勉強をする」
「週3回はランニングをする」
「やり始めたことは必ず最後までやる」

このように、自分自身で決めたことを、きちんと実行することを言います。

つかれていて、今日はやりたくないという気持ちが出てくることもあるでしょう。

でも、自分自身が相手です。うそはつけませんし、いいわけも通用しません。どうしてやりたくないかという理由を知っているからです。

なにせ、自分自身のことですから。

自分との約束を守ることはとても大切です。自分との約束を守ることで、自信がつきます。

そして、より確実《かくじつ》に目標を達成しやすく

なります。

また、そうやって、少しずつ必要なことを達成していくことで、将来《しょうらい》の夢《ゆめ》に近づくことができます。


もちろん、さまざまな理由で、自分との約束が守れないときもあるでしょう。

そういうときは、なぜ守れなかったのかという原因《げんいん》をあらい出して、次はどうすれば守れるのかを考えるのです。

約束を守れなかったことは、自分でだれかに話さないかぎり、だれにも気づかれないでしょう。

だからこそ「だれも知らないんだったら、守れなかったけど、まあいいや」という考えは絶対《ぜったい》にいけません。

そういうあまえを克服《こくふく》することが、成長なのです。

その意味で、自分との約束を守ることは、自分自身を成長させるための大切なステップです。

決めたことをわすれないように、できれば書き出して、部屋の中にはりましょう。

そういうふうに、つねに目標が目に入るようにすると、実現率《じつげんりつ》が高くなるという研究があります。

「高校入試、絶対合格《ごうかく》!」みたいな漠然《ばくぜん》とした内容ではなく、より具体的に、日々実行でき、ちょこちょこと達成感を感じやすいものにするのがいいでしょう。

より身近で、わかりやすい目標を考えてみてください。

自分自身との約束を守ることで自信がつき、成長できる

今日から、小さな約束から、始めてみよう！

ここまでの話で、自分との約束の大切さが、わかってもらえたのではないかと思います。ここでは、今日から始める小さな約束を考えていきましょう。

まず、紙と筆記具を用意してください。

できるだけ細かく、朝昼晩《あさひるばん》の自分のシチュエーションを考えて、そこで実践《じっせん》すべき自分との約束を書き出してください。

例として、いくつかあげてみますので参考にしてください。

【朝】

・出かける1時間前に起きる
・家族に「おはよう」と笑顔で明るくあいさつをする
・朝ごはんを残さない
・始業の10分前には教室に着くように家を出る

【通学中】

・階段《かいだん》を一段飛ばしで上る
・通学しながら英単語を毎日10個覚える
・より道をしない

【登校後】

・友だちに1日3回親切にする
・笑顔であいさつをする
・授業中《じゅぎょうちゅう》にノートや教科書に落書きをしない

【帰宅《きたく》後】

・宿題をサボらず真っ先に終わらせる
・家事を一つ手伝う
・毎日1時間以上の読書をする
・スマートフォンを使う時間を制限《せいげん》する

【寝《ね》る前】

・毎日の出来事や気づきを日記に書く
・15秒《びょう》すって15秒ではく深呼吸《しんこきゅう》を2分間おこなう
・平日のテレビやユーチューブは1日1時間まで

これらは、あくまでも例です。もっと場面を細かく設定《せってい》してもいいですし、約束の数も自由です。約束をチェックリストにして、実現できたかどうかを毎日記録することも大事です。

また、ただ書き出すだけではなく、実行していくための「仕組み」も同時に考えましょう。どうしたら、自分との約束を守れるかを考えるのです。

人間は行動を取る際《さい》に、ほとんどの場合、その場の状況《じょうきょう》に合わせて「最善《さいぜん》の妥協《だきょう》」の行動を取ります。ですから、自分がその行動をしなくてはならないような状況を作り出す「仕組み」を用意しておくのです。たとえば「ユーチューブはタイマーを1時間にセットして見る」「夕食後に食器は自分であらう」などです。

あるいは、一連の流れにしてしまうのもいいかもしれません。たとえば「家に帰ったら夕食の時間までに宿題をする」「ふとんに入ったら寝るまでに深呼吸をする」などです。

こうすると、当たり前のことを当たり前のようにするだけなので、顔をあらったり、歯をみがいたりするのと同じように、あまりめんどうくさいと思わなくなります。

自分との約束を書き出してチェックリストを作り、実行していく「仕組み」も作ろう

「失敗」なんかない。うまくいかないのがわかっただけ

アメリカの発明家、トーマス・エジソンをご存《ぞん》じでしょう。
その生涯《しょうがい》で１３００もの発明・技術革新《ぎじゅつかくしん》に貢献《こうけん》したと言われているエジソンですが、
彼は生前、こんなことを言っています。

「人生に失敗した人の多くは、あきらめたときに自分がどれほど成功に近づいていたか気づかなかった人たちだ」

エジソンは、昼も夜も関係なく、時間をわすれて発明に没頭《ぼっとう》していました。

そんなエジソンは、こんなことも言っています。

「わたしは、失敗したことは一度もない。ただ1万通りのうまくいかない方法を見つけただけだ」

これらのことばが意味するのは、成功するまでやり続けなかったら失敗になってしまうということと、うまくいかないことを失敗だと思ったときに失敗になってしまうということです。うまくいかなかったからと言って、落ちこんで挑戦《ちょうせん》をやめてしまうのがいちばんよくありません。

努力はムダになることはありません。

仮に、その瞬間《しゅんかん》は成果を生み出せなかったとしても、その努力が、将来、どんな形で花をさかせるか、どんなすごい結果につながるかなんて、だれも予測《よそく》できないのです。

事実は一つですが、解釈《かいしゃく》は無限《むげん》です。何事もとらえ方次第なのです。あきらめたら、そこですべてが終わってしまいます。あきらめずにがんばり続けることで、成功に近づくことができます。

もう一つ、みなさんに覚えておいていただきたいことばがあります。

「できない理由をさがさない。どうしたらできるかを考える」

人間は「いいわけの天才」です。だれもが、できない、そしてやらない理由（いいわけ）を考えるのが天才的に得意なのです。

ですが「どうしたらできるか」ということを考えたほうが、絶対に生産的です。成しとげられることがふえていきますし、みなさんの将来への宝《たから》になります。

「できるまでやる」こと、そして「できない理由を考えない」ということ。この二つを、つねに頭に入れて、いろいろ取り組んでください。

また、そうしたほうが、心の健康のためにははるかにいい、ということも覚えておいてください。


失敗しても、いいわけを考えない。どうしたらできるかを考えよう

自分を否定してくる発言はすべてプラスに置きかえる

人間には「承認欲求《しょうにんよっきゅう》」というものがあります。

これは、自分のことをみとめてもらいたい、ほめてもらいたいという気持ちです。子どもだけではなく、大人《おとな》でもあります。

ですから「そんなのもできないの？」「そんなだから友だちがいないんだよ」「何それ？変なの」のように、他人から容姿《ようし》、行動、性格《せいかく》、持ち物など自分に関することを悪く言われるのは、とてもつらく感じます。

もちろん、自分のことだけではなく、自分の一部でもある家族や大事な友だち、好きな人のことを悪く言われても、とてもつらく感じるでしょう。

そういった否定的《ひていてき》なことばにふり回されず、相手のことばを気にせずに、自分の軸でしっかりと行動していくためにはどうしたらいいのでしょうか？

まずは、くり返しになりますが、他人からの評価は気にしないことです。

人間が10人いれば、同じものを見ても10通りの感じ方があるはずです。

たとえば、あなたから見ればかわいいアイドルでも、友だちから見ればそうでもないかもしれません。

また、チョコレートが好きな人もいれば、きらいな人もいます。ラップ・ミュージックが好きな人もいれば、きらいな人もいるのです。

ですから、みんなによい評価をもらう必要なんてありません。自分がよいと思ったらよい。自分でがんばったと思ったらがんばった。これでいいのです。

他人から何かを言われても、自分の評価がぶれないようにしてください。自分がよいと思ったもの、決めたことを信じてください。

また、**否定的なことを言われても、ポジティブなことばに置きかえると元気になれる**こともあります。

サッカー選手のキング・カズこと三浦知良《みうらかずよし》さんの例を紹介《しょうかい》しましょう。

元プロ野球選手の張本勲《はりもといさお》氏が、キング・カズが40代になっても現役《げんえき》を続けていることに対して「若い選手に席をゆずらないと。団体競技《だんたいきょうぎ》なんだから、のびざかりの若い選手が出られない。だから、もうおやめなさい」という否定的な発言をテレビ番組の中でしたことがありました。

この発言を受けて、キング・カズは「張本さんほどの方に言われるなんて光栄です。『もっと活躍《かつやく》しろ』って言われているんだなと思う。『これなら引退《いんたい》しなくていいって、オレに言わせてみろ』ってことだと思う」と発言しました。張本氏の「侮辱《ぶじょく》」ともとれる発言を、見事「激励《げきれい》」にすりかえてしまったのです（そして、その後も大活躍して結果も残しました。本当にかっこいいですね！）。

当の張本氏も、キング・カズのこの発言を絶賛《ぜっさん》し、無事に一件落着《いっけんらくちゃく》となりました。

このように「攻撃的《こうげきてき》な発言」も、言われた側が別の意味（この例では「激励」）にすりかえて、攻撃を無効《むこう》にしてしまうこともできるのです。

否定的なことを言う人に出会ってしまうのは、世の中にいろいろな人がいるかぎり、さけられないことなのかもしれません。ですから、**何を言われても、自分がそれをどう受け止めるかがすべて**です。

イヤなことを言われても、自分軸を信じることがベストですし、もしそういった発言をされても、うまく自分ががんばるためのきっかけやエネルギーに変えられるようにしてみましょう。

事実は一つでも解釈は無限。自分軸で決めた評価を大切に

願望や欲求は明確に「見える化」しよう

みなさんが、もしやりたいこと、実現したいこと、目標などを決めたら、それを目に見える形にしておくことをおススメします。

これまでも何度かお話ししてきましたが、このように「見える化」することは、とても大切です。たとえば、文字にしてみるのです。

「1か月後のテストに向けて、毎日1時間勉強する」

「次の試合に勝つ！　そのために毎朝早起きして練習する」

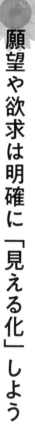

このように紙に書いて、目に見える場所にはり出したりしておくことです。多くの実験で、この方法が有効《ゆうこう》であることもしめされています。

人間は、自分で思っているよりも、頭の中だけで物事を整理するのが苦手です。わかっているようでわかっていないのです。でも、ことばにして、文字にしてみると、想《そう》像《ぞう》以上にいろいろなことが見えてきます。

目標をことばとして書き出し、明確にすることは、実現への一歩をふみ出すためにとても大切です。

やりたいことやほしいものがハッキリしていると、やる気も上がります。目標がモヤモヤしていると、どうしてもやる気がなかなかわかないこともあるので、紙に書くなどして「見える化」しておきましょう。

次に、**計画を立てることも大事です。**

目標があるなら、どうやってその目標に向かって進むか、何をどれくらいの順番でやるかを考えるのが計画です。計画がはっきりすれば、目標に向かって着実に一歩一歩進むことができます。

目標に向かって進む中で、どれくらい進んでいるかを確認《かくにん》することも重要です。計画を具体的に立てるときに、それぞれの段階《だんかい》での達成すべき目標、するべきことを書き出しておけば、何をどれだけやればいいのか、その進み具合を確認することで何がうまくいっているのか、どこを修正《しゅうせい》すればいいのかがわかります。

それができると、たとえ目標に向かっている途中《とちゅう》でうまくいかなくなっても、すぐに立ち直ることができるようになります。

また、進み具合をその時々に友人に話すと、ただ頭の中で考えているときの1・8倍も目標が達成できるという研究もあります。

それに加えて、自分のことをよく知ることも大切です。

自分の得意なことや苦手なこと、好きなことやきらいなことを書き出して理解《りかい》することで、目標を立てる際に、もっと具体的で実現可能《かのう》なものになります。

さらに、ほかの人と話すことも重要です。

自分の目標や望みを、ほかの人に伝えることで、助けてもらったり、一緒に協力して進んだりすることができます。目標は一人で達成するのもいいですが、家族や仲間がいると楽しさやうれしさも倍増《ばいぞう》します。

最後に、計画に合わせて日記をつけるのもいいかもしれません。その際に、自分の感《かん》情《じょう》なども一緒に記録しておきましょう。

そういう日記をつけている人は、メンタルヘルスを良好にたもち、脳《のう》を整理した状態にしておくのに効果的だという実験結果もあります。

ぜひ、今のうちに習慣《しゅうかん》づけておきましょう。

目標と計画は「見える化」しておく。自分をよく知るほかの人と話す、日記をつけるのも効果的

メモを取ることで7つも「いいこと」が起こる

スマホが発達して、手書きでメモをする人がへってきました。とはいえ、学校中心の生活だと、まだまだ手書きでメモを取る機会も多いでしょう。

メモをする習慣というのは、じつはすごくいいことです。これまでの世界中でおこなわれたこのことに関する研究を簡単《かんたん》にまとめると、次のような利点があることがわかっています。

まず「①**情報《じょうほう》の整理と整頓《せいとん》**」です。メモを取ることで、頭の中の情報がスッキリ整理されて、必要なことがあとから見返しやすくなります。

大切なポイントやアイデアをメモに残しておくと、あとでまよわずに見返せるのもよく知られている利点ですね。

次に「②**記憶《きおく》の補強《ほきょう》**」です。メモを取ると、視覚的《しかくてき》に情報を残すことができるので、記憶がより強くなります。

脳は、物事を覚えるときに、ほかのいろいろな情報もからめて記憶するので、視覚的な印象があると、覚えるのが楽になります。

それから「③**優先順位の設定**」です。メモを通じて、やるべきことや大切な予定を書き出すと、何を最初にやるべきかがわかりやすくなります。

これでタスク（やるべきこと）の管理がとってもしやすくなります。

また、メモを取ることは「④**創造性《そうぞうせい》を高める**」ことにも役立ちます。

思いついたアイデアやひらめきをメモに書いておくと、あとで見返して新しいプロジェクトや問題の解決策《かいけつさく》につなげることができます。

わすれたころに、何らかのきっかけで見返して「あらためて考えてみると、これはとてもよい考えだ！」なんてことが意外とあるものです。

さらに、前の話でも説明しましたが、目標を達成するためには**「⑤目標の設定と進み具合の確認」**も大事です。メモを使って目標や計画を書き出すことで、進み具合の確認がしやすくなります。

進み具合をチェックすることで、目標達成への道が見えてきます。

加えて、メモを取ることは**「⑥効率的《こうりつてき》なコミュニケーション」**にも役立ちます。とくに、メモを取りながら人の話を聞くと、大事なポイントを聞きのがしません。メモを取ることで、コミュニケーションがスムーズになります。

最後に**「⑦自己成長の促進《そくしん》」**も、メモのいいところだと言われています。

自分の考えや気づきをメモに残すと、過去の自分と向き合って成長や学びを確認できますし、これからの進むべき方向も考えやすくなります。

パッと思いついたことは、意外に記憶《きおく》に残らないので、ちゃんとメモに残すようにしておきましょう。

注意したいのは「⑥効率的なコミュニケーション」です。

人の話を聞きながらメモを取るという作業は、想像以上に脳に負担《ふたん》がかかります。一字一句《いちじいっく》きちんと書こうとするとかなり大変ですし、かえって話も聞きのがしがちになります。

ですので、まずは話を理解することに重点を置いて、内容的に重要なポイントだけを書くほうがいいでしょう。矢印などの記号も多用しながら書くと効率がいいそうです。

今からでもメモする習慣をつけておこう。
きっと自分を助けてくれる

「考える人」より「動く人」になろう

しっかりと考えてから行動をする。これは、とてもよい流れに思えます。

しかし、世界中でおこなわれたさまざまな心理学の研究などを見てみると、必ずしもそうでないことも見えてきます。

人は、考えすぎると、判断《はんだん》をあやまったり、そもそも判断自体ができなくなったりします。また、考えすぎると不安から、行動するための一歩がふみ出せなくなってしまうこともあります。

そして、考えすぎて心の病気になってしまう人もいます。

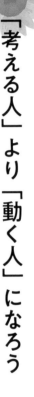

オランダのラドバウド大学の研究者たちが、こんな実験をしました。

４台の中古車のうち、１台だけお買い得《どく》の車がありました。研究者たちはグループを二つに分けて、片方のグループには、じっくり考えて選んでもらい、もう片方のグループには、パズルをやらせて考える時間をあたえないようにしました。

それぞれの車に関して、あたえられた情報が４個だけだったときには、どちらのグループも同じ確率《かくりつ》でお買い得の中古車を選ぶことができました。

しかし、あたえられる情報を12個にふやしたら、じっくり考えたグループの人たちは25％しかお買い得の車を選ぶことができませんでした。

４台から選んだわけですから、当てずっぽうでも25％の確率です。考えた時間がまったく活かせていないことになります。

ところが、**パズルをやって考える時間がなかったグループの人たちは、60％の確率でお買い得の車を選ぶことができた**のです。

この人たちは、考える時間がなかったので、自分が「ここは絶対に外せない」と思う基準だけを使って選びました。

つまり「自分軸」でサッと決めたということです。

情報化社会になって、わたしたちは10年前の数百倍の情報にあふれた日常《にちじょう》をすごしています。

多くの人が「損《そん》をしたくない」という気持ちから、すぐにネットなどを使って情報を集めます。ところが、気がつくと集めすぎてしまっていることもしばしばあります。

そうすると、情報があふれてしまい、どう決めていいのかわからなくなったり、決めるのがめんどうくさくなったりして、あきらめてしまうこともよくあるのです。

レストランでも、メニューの種類が多すぎると、選ぶことができなくなってしまいますよね。あれと同じです。

ですから、**もちろん考えることは大切ですが、考えすぎてしまうのは問題**です。行動を始められなくなってしまうし、あやまった判断をしてしまったりするからです。

人間は、一度行動を始めたら、できるだけ後悔しないように行動をしていきます。

わざわざ後悔するように行動する人はいないですよね？

ですので、結局、後悔が少ないということが、アメリカ・シカゴ大学の研究者らの研究でわかっています。

また、別の研究では、**人はやったことよりも、やらなかったことに対して強く後悔する**ことがわかっています。ですから、やらない後悔よりやる後悔。あれこれ考えすぎて行動しないよりも、とりあえず「動く」ことのほうがいいわけです。

もしどうしても決められなかったら、コインを投げて「表」か「うら」かのコイントスで、どうするか決めてもいいかもしれません。

じつは、コインで決めても最終的に後悔は少ないことが、先ほど紹介したシカゴ大学の研究者らの研究でわかっているのです。

考えすぎるくらいなら動こう。どうしても決められない場合はコイントスで決めてOK

一日一善！　情けは人のためならず！

最近は見なくなりましたが、昔は「一日一善《いちにちいちぜん》」と子どもたちがさけぶテレビＣＭがよく流れていたので、これはとても有名なことばでした。

一日一善。

つまり**「毎日１回、何か小さないいことをしてみる」**ということです。

たとえば、友だちや家族の手伝いをするとか、近所でゴミ拾いをするとか、みんなでそういうことを続けていけば、よいことがどんどんふえて、みんなが幸せになり、よりよい世の中になるというわけです。

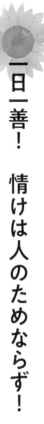

一日一善は、とても手軽に実行できるよい習慣です。でも、じつは、社会のためというよりも、自分のためにとてもよい習慣だということが、アメリカ・カリフォルニア大学の研究者らの研究で明らかになりました。

この実験では、1週間で5回、他人が喜ぶことをしてくださいというものでした。1週間で5回であれば、1日1回で5日やってもいいし、1週間のどこかの1日でまとめて5回やってもいいし、実験参加者が自由に決めていいという形でやってもらいました。

その結果、なんと、1日にまとめて5回やった人たちが、いちばん幸福度が高かったのです。つまり**「一日一善」よりも「週に一日まとめて五善」がよい**ということです。

ちょっと面白い結果ですね。

「ふだんの生活の中で、他人に親切にする機会なんて、そんなにないよ」と思っている人もいるかもしれませんが、実際、そうでもないですよ。

たとえば、公共交通機関で、妊婦《にんぷ》さんや赤ちゃん連れの親子、はなればなれにすわらなければならなそうな人たちを見かけたら、すすんで席をゆずってみましょう。

ほかにも、道にまよっていそうな旅行客に案内を申し出たり、勉強や作業で手伝いが必要そうな人に協力してあげたり、なんとか自撮《じど》りで友人と記念写真を撮ろうとしている人に写真を撮ることを申し出たり……。ベビーカーを押している人や、車椅子《くるまいす》の人が通りやすいように、ドアを開けておいてあげるということもできるでしょう。

じつは、他人に親切にするチャンスは、よくまわりを見わたしてみるとたくさんあるのです。

人間は、他人に親切なことをすると、脳の喜びを感じる部分が活性化します。

つまり、他人に親切にすると、自分がうれしくなるということです。

なぜそうなるのかというと、人は社会的動物なので、他人とつながったほうが生き残るには有利です。

ですから、人に親切にすると気持ちよくなれるのなら、そういう行動を進んで取るようになります。

もし、他人に親切にすると苦痛《くつう》や恐怖《きょうふ》がともなうなら、みんな親切なことをしなくなりますよね？

ですから、本能的《ほんのうてき》な仕組みとして、親切行動をとると、うれしくなるようにできているのです。

そう考えると「情《なさ》けは人のためならず」ということば通り、親切は自分自身のためなわけです（このことば、よくかんちがいされていますが「人に情けをかけて助けてやることは、結局その人のためにならない」という意味ではありません。本当は「親切なおこないは、いつか自分に返ってくる」という意味です）。

でも、親切にされると、されたほうも当然うれしいですから、みんなハッピーになれます。**こういった小さな親切の輪を、どんどん広げていきたいですね。**まずはみなさんから始めましょう！

自分のためにも、まずは一日一善から始めよう

イヤなことと向き合うときは「キャラ」になり切れ

人間の性格は流動的なものだという話は、以前にも紹介しました。

人は、あたえられた役割《やくわり》によっても性格が変わります。これは「役割性格」とよばれるものです。

役割性格に関しては、アメリカの名門スタンフォード大学でおこなわれた非常に有名な実験があります。

まず、実験に参加した人々に「囚人《しゅうじん》」や「看守《かんしゅ》」のように、ことなる役割をあたえます。

ふつうの人たちがことなる役割をあたえられると、ふだんとふるまいがどんなふうにことなってくるかを調べたのです。

すると、たとえば、看守の役割を持った人が、自分のいつもの性格よりもきびしくなったり、逆《ぎゃく》に囚人の役割を持った人が反抗的《はんこうてき》になったりしました。

この実験からわかるのは、人は役割に影響《えいきょう》を受けて、ふだんの行動が変わることがあるということです。

これは、実験だけの話ではなくて、日常生活にも関わってきます。

たとえば、ふだんはふざけてばかりで、責任感《せきにんかん》もまったくなさそうな人が、クラス委員をまかされたら、急にたよりがいのあるまじめな人になったりするような例を、みなさんも見かけたことがあるのではないかと思います。

「役職《やくしょく》が人を作る」なんていうことばも、社会ではよく耳にします。

人間は、あたえられた役割に期待される「キャラ」に、できるだけそうように行動しようとするので、そういう変化が起こるのです。

この性質《せいしつ》を利用して、自分のメンタルヘルスをたもつのも一つの方法です。たとえば、イヤなことがあっても、それとうまく向き合えるキャラになりきってみるのです。

「イヤなことと上手に向き合えるキャラ」とは、主にポジティブで柔軟《じゅうなん》な考え方を持ちつつ、困難《こんなん》や苦しい状況にも立ち向かいながらも、前向きな態度《たいど》をたもつキャラクターでしょう。

たとえば、ディズニー映画《えいが》の『アナと雪の女王』のアナや『クマのプーさん』のプーは、比較的《ひかくてき》いつもポジティブで、前向きなキャラクターではないでしょうか。

ですから、イヤなことがあっても、「これを乗りこえるチャンスだ！」とポジティブな見方を持ちましょう。

マンガやアニメのキャラクターでかまいません。困難な状況をチャレンジと受け止め、学びや成長の機会ととらえることができるキャラや、どんな課題にも前向きな解決策を見つけ出すことができるようなキャラで、みなさんが知っているものがあれば、それになりきってみるのがいいでしょう。

また、イヤなことに立ち向かうだけでなく、ほかの人に助けを求めるようなキャラもありでしょう。自分の好きなキャラなら、なおさらなりきりやすいはずです。いろいろ試してみてください。

イヤなことがあったときや、だれかを助けようとしたときは「キャラ」になりきって対応しよう

時間を管理し、自分の実力を知り、大切なことに集中せよ

なんとなく、ズルズル・ダラダラな毎日を送っている人。

あるいは、逆にやることが多すぎてアップアップしてしまい、心の余裕《よゆう》がなくなっている人。

どちらのタイプの人にも、共通する生活改善《かいぜん》のためのアドバイスがあります。

それは「時間を管理して、自分の実力を知って、大切なことにしっかり集中しよう」というものです。

まず、時間を管理するということ。

これは、**日々の細かいスケジュールを立てることが大切**だという話です。

具体的には、宿題などのやることリストを整理して、ムダな時間をへらし、効率的に物事を進めるようにしましょう。

その際には、優先順位をしっかりと考えて、時間配分もしっかり計画にもりこむことが重要です。それに加えて、やることリストをチェックするシステムも用意しておきましょう。

できれば、毎日、同じ流れになるようにできるといいです。「ルーティン（習慣的な行動）」にしたほうが、より実践しやすくなります。

次に、自分の実力を知るということ。

そのためにも、自分が得意なことや、もっと上手になりたいことを見つけましょう。**自分の強みや、改善したり成長できたりする点を知ることで、今後の目標が立てやすくなります。**

中国には「彼を知り己《おのれ》を知れば百戦殆《ひゃくせんあや》うからず」という有名なことばがありますが、きちんと攻略《こうりゃく》すべき対象のことを知り、自分の実力やできることを正しく知っておくことで、より効率的にやるべきことをこなしていくことができるようになっていきます。

そして、大切なことにしっかり集中するということ。

一度に多くのことに集中することを「マルチタスク」と言いますが、これをやると逆に何もかもがうまくいかなくなることがあります。人間の脳は、じつはマルチタスクが苦手です。

なかには、マルチタスクを上手にこなしている人もいるかもしれませんが、じつはマルチタスクをやっているように見えても、それはシングルタスクをかわるがわるやっているだけなのです。

何度か説明したように、脳は、今やっている行動や作業を最適な状態でできるように働きます。マルチタスクは、ちがう作業を同時にやるということですから、脳の性質から考えても無理のある働き方なのです。

ですから、やはりシングルタスクに全力で集中して、そこにエネルギーを注ぐようにしたほうが、最終的には効率がいいのです。

また、**苦手なことと得意なことがあったら、まずは得意なことをやってから苦手なことをやったほうが、効率よくできる**ということも研究によって明らかになっています。得意なことをスイスイやって、そのいきおいやノリで苦手なこともやってしまったほうがいいというわけです。理科が不得意で国語が得意だったら、国語からやってしまうということです。

これらを実践することで、ストレスをへらしたり、気分を整えたり、自信を持つ手助けになります。また、こういったことを通じて目標を達成し続けていくと、達成感やうれしさも感じやすくなります。

そして、それが自分へのごほうびになり、また新しい挑戦への動機づけとなるのです。

時間、実力、集中。この三つを制《せい》することができれば、たいていのことはうまくいく

おわりに

さて、いかがだったでしょうか？

メンタルヘルスについて考える時間を一緒《いっしょ》にすごしてくださり、本当にありがとうございました。

この時間を通して、みなさんは自分の心や考え方に多くの種をまき、成長するための準備《じゅんび》ができたのではないでしょうか。**この本を閉じるとき、みなさんはもう、出発点にいたあの日の自分とはちがう、新しい自分へと一歩をふみ出しています。**

わたしたちは一緒に、心の健康がどれほど大切であるか、また、それを守り、育てるために何ができるのかを学びました。

日々変わる世界の中で、自分自身を見失わないように、そして自分だけの道を切り開くための羅針盤《らしんばん》（方位磁石《じしゃく》）となるのが、わたしたちの心です。

この本を読んだことで、自分自身の中にある強さ、勇気、そして可能性《かのうせい》を見つけ出す手助けができたなら幸いです。

10代の旅は、たしかに思うようにはいかないことも多いです。しかし、この本でふれたように、困難《こんなん》や挑戦《ちょうせん》は成長の機会でもあります。

みなさんが、この本を読む中で感じたこと、学んだこと、そして挑戦したいと思ったことを、これからの人生に活かしていってください。

夢《ゆめ》や目標に向かって一歩一歩進む中で、この本で学んだ知識《ちしき》やヒントが、みなさんの背中《せなか》をおし続けることを願っています。

筆者であるわたし自身も、山あり谷ありの10代をすごしたほうだと思います。しかし、そういった中でえたさまざまな経験《けいけん》が、あとの人生の土台を作ってくれましたし、あの時間がなかったら、今の自分はなかったと確信《かくしん》しています。

楽しいことも、うれしいことも、つらいことも、悲しいこともたくさんありました。でも、どれを取ってもムダだったと思うことは一つもありません。

もちろん、イヤなこともたくさんありましたが、今となってはいい思い出です。事実は一つですが、それをどう受け止めるかは無限《むげん》です。みなさんの考え方次第なのです。

人間は社会的な動物です。自分自身やまわりの人たちと関わり、関係を深め、よりよいコミュニケーションをきずくことで、わたしたちはみんな、おたがいにささえ合いながら成長していくことができます。

みなさん自身の心と向き合って、自分自身を大切にする勇気を持ってください。そして、みなさんの内にある無限の可能性を信じて、前に進んでください。

困難があっても、そのたびに自分を見つめ直し、成長していくことができるのです。

この本を閉じた後も、みなさんの人生が希望《きぼう》と喜びで満たされることを、心から願っています。そして、いつか、みなさんがほかのだれかの羅針盤となり、彼らの心の旅をささえることができる日が来ることを信じています。


人生は、予測《よそく》できない旅です。

その中で、わたしたちはつねに新しい自分自身を発見し続けます。

この本で学んだことは、みなさんの人生の旅の中で、明るい「ともしび」となり、時には困難な道を照らし、時には新たな方向をしめす光となることでしょう。

みなさんがこの本を読んだことで、自分自身や他人との関わり方に、新たな視点を持つことができたなら、それはわたしたちがともにすごした時間の中で、もっとも価値《かち》ある成果と言えるでしょう。

心の健康を育《はぐく》むことの大切さ、自分と他人を理解《りかい》することの価値、そして何よりも、自分自身を信じる力を持つことの重要性を、この本を通じてみなさんに伝えることができたなら、これほどうれしいことはありません。

どうか、この本でえた知識や勇気を持って、自分自身の可能性を信じ、夢に向かって思い切り挑戦し続けてください。そして、みなさんのまわりにいる人たちにも、同じように前向きな影響《えいきょう》をあたえていくことができますように！

心の底からの感謝《かんしゃ》をこめて、そしてみなさんのこれからの旅路に幸多かれと願いをこめて、筆を置きます。

堀田秀吾《ほったしゅうご》

著者プロフィール

堀田 秀吾（ほった・しゅうご）

明治大学法学部教授。言語学博士。熊本県生まれ。シカゴ大学博士課程修了。ヨーク大学修士課程修了。

言葉とコミュニケーションをテーマに、言語学、法学、社会心理学、脳科学などのさまざまな学問分野を融合した研究を展開。専門は司法におけるコミュニケーション分析。研究者でありながら、学びとエンターテインメントの融合をライフワークにしており、「明治一受けたい授業」にも選出される。また、芸能事務所スカイアイ・プロデュースで顧問を務めるなど、学問と実業の世界をつなぐための活動も続けている。プライベートでは空手、サーフィン、マラソン、近年はヒップホップやロックダンスにも挑戦中と、エネルギッシュな日々を送っている。

主な著書に『最先端研究で導きだされた「考えすぎない」人の考え方』（サンクチュアリ出版）、『図解ストレス解消大全 科学的に不安・イライラを消すテクニック100個集めました』（SBクリエイティブ） など多数。

◆装丁　Isshiki（八木麻祐子）
◆イラスト　栗生ゑゐこ

12歳《さい》から始《はじ》める心《こころ》が折《お》れない技術《ぎじゅつ》

発行日　2024年 5月21日　第1版第1刷

著　者　堀田《ほった》　秀吾《しゅうご》

発行者　斉藤　和邦
発行所　株式会社　秀和システム
〒135-0016
東京都江東区東陽2-4-2　新宮ビル2F
Tel 03-6264-3105（販売） Fax 03-6264-3094
印刷所　三松堂印刷株式会社　Printed in Japan

ISBN978-4-7980-7208-1 C0037